JN074759

エンゲルスから学ぶ
科学的社会主義

山田敬男・牧野広義 編著

エンゲルスの生家

学習の友社

まえがき

　今年は、科学的社会主義の創始者の1人であるフリードリヒ・エンゲルス（1820〜1895年）の生誕200年です。2018年のマルクス生誕200年に続いて、科学的社会主義の創始者たちの思想を学ぶよい機会です。本書は、エンゲルスの生涯と彼の古典的な著作を紹介して、皆さんの科学的社会主義の学習に役立てていただこうという企画です。

　エンゲルスは、マルクスを「第一バイオリン」にたとえ、自分を「第二バイオリン」にたとえました。この2つのバイオリンは個性が違います。マルクスは科学的社会主義を創造する中心となりました。彼はまさに「第一バイオリン」です。しかしマルクスは厳密な論理を展開しましたので、その文章は難解です。エンゲルスはマルクスの思想形成に影響を与え、共同で思想を発展させ、その思想をわかりやすく説明しました。この「第二バイオリン」による序奏と重奏があってこそ「第一バイオリン」も本領を発揮し、両者のハーモニーによって科学的社会主義の理論が発展しました。そして広範な労働者に受け入れられました。

　本書は、2019年から2020年に雑誌『学習の友』で連載された論文をもとにして、それらを拡充するとともに、新たな論文も加えて編集しました。

　本書では、まずエンゲルスの生涯と思想をマルクスとの関連で紹介します。彼は、マルクスに先行して古典派経済学の批判的研究を行い、イギリスにおける労働者階級の状態を調査しました。これらはマルクスに大きな影響を与えました。そして、両者の協力によって科学的社会主義の理論が発展していったのです（**第1章**）。

　エンゲルスは、労働者階級の状態がすべての社会運動の出発点であるととらえて、当時のイギリスの労働者の悲惨な状態を告発するとともに、労働者の抵抗とたたかいの発展を論じました（**第2章**）。

　マルクスとエンゲルスの共同の成果である『共産党宣言』は、科学的社会主義の代表的な古典の1つです。この本は、社会科学の基本文献と

しても広範に読まれてきました。「万国の労働者、団結せよ」という彼らの思想を学びたいものです（**第3章**）。

エンゲルスの多面的な研究は現代にまで影響を与えています。その1つは、人類の進化において「労働が人間を創造した」と主張したことです。また彼は、人間が自然を支配することによって、「自然は人間に復讐する」と言いました。これは現代の環境破壊への警告にもなっています（**第4章**）。

エンゲルスは、マルクスが「科学的社会主義の入門書」として推薦する本を出版しました。それが『空想から科学への社会主義の発展』です。この本は、社会主義とは何かを語るうえで欠かせないものです（**第5章**）。

エンゲルスは知識欲旺盛な人でした。同時に彼は明確な「ものの見方・考え方」をもっていました。それが唯物論であり、弁証法であり、史的唯物論です。この理論を分かりやすく論じた『フォイエルバッハ論』から学びたいと思います（**第6章**）。

最後は、マルクス・エンゲルスの革命論です。彼らは、資本主義の変革のために多数の労働者がみずから革命の意義を理解し、みずから実践に立ち上がるという「多数者革命」の理論を提唱しました。その思想の形成と今日的な意義を考えます（**第7章**）。

このようなエンゲルの思想を「科学的社会主義への入門」として学ぶことによって、現代社会を見る目が鍛えられると思います。また、市民と野党の共闘の時代の社会変革論の基本も学べると思います。本書を手がかりにして、皆さんの学習がいっそう進むことを期待しています。

2020年10月11日

編著者

凡 例

　エンゲルスとマルクスの古典からの引用は次の邦訳によります。引用にあたっては、本文中の（　）内に書名と頁などを記します。なお、訳語・訳文は本書の筆者によって異なる場合があります。

1. エンゲルス『イギリスにおける労働者階級の状態』上・下、浜林正夫訳、科学的社会主義の古典叢書、新日本出版社。

2. マルクス・エンゲルス『［新訳］ドイツ・イデオロギー』服部文男監訳、新日本出版社。

3. マルクス・エンゲルス『共産党宣言／共産主義の原理』服部文男訳、科学的社会主義の古典叢書、新日本出版社。

4. エンゲルス『自然の弁証法〈抄〉』秋間実訳、科学的社会主義の古典叢書、新日本出版社。

5. エンゲルス『空想から科学へ』石田精一訳、科学的社会主義の古典叢書、新日本出版社。

6. エンゲルス『フォイエルバッハ論』森宏一訳、科学的社会主義の古典叢書、新日本出版社。

7. エンゲルス『多数者革命』不破哲三編、科学的社会主義の古典叢書、新日本出版社。

8. マルクス『新版　資本論』第1巻（第1分冊〜第4分冊）日本共産党社会科学研究所監修、新日本出版社。引用にあたっては、分冊と頁を記します。
   マルクス『資本論』第2巻、第3巻（第5分冊〜第13分冊）日本共産党社会科学研究所監修、資本論翻訳委員会訳、新書版、新日本出版社。

9. マルクス・エンゲルス『ゴータ綱領批判／エルフルト綱領批判』後藤洋訳、科学的社会主義の古典叢書、新日本出版社。

10. 『マルクス・エンゲルス全集』大月書店からの引用では、『全集』と略記し、巻と頁を記します。

11. その他の訳書からの引用では、本文中に書名、頁などを記します。

目　次

第 1 章

エンゲルスの生き方と思想から学ぶ
——マルクスとの思想的協力を中心に

岩佐　茂

はじめに

　エンゲルスは、1820年11月28日にドイツの工業都市、バルメンで、紡績工場主の息子として生まれました。家業を手伝いながら、自らの立ち位置と矛盾することに悩み続けるも、労働者を解放する運動に一生をささげました。

　そのエンゲルスの生涯は、大きく３期に分けることができます。

　初期は、若きエンゲルスが、２つ年上のマルクスと知り合い、互いに思想的に共鳴し、労働者解放の運動に身を投じていく時期です。マルクスとの共著『共産党宣言』（1948年）を書くまでの時期です。

　中期は、ドイツ革命が頓挫したあと、経済学研究に没頭したマルクスを、財政的に支援した時期です。そのために、父親とも和解し、父親が共同経営しているイギリスの工場で働いた時期です。

　後期は、工場を退職して、労働者解放のための理論的・実践的活動に没頭した時期です。多くの論文や著作を執筆するとともに、マルクスの『資本論』第２巻、第３巻の遺稿を編集し、出版しました。

　よく、マルクス主義といわれますが、その理解についてはっきりしているわけではありません。マルクス自身は、「私はけっしてマルクス主義者ではない」（『全集』第37巻379頁、1890年8月5日付けC・シュミット宛てのエンゲルスの手紙）と語ったといわれています。意味深な言葉です。一般的には、マルクスとエンゲルスが共同で創り上げた思想と、それを継承した思想や運動の全体を指して語られる場合が多いと思いますが、私は、マルクス主義をマルクスとエンゲルスが共同で創り上げた思想に限定して、理解しています。マルクス主義（科学的社会主義）は、マルクスだけの思想を意味するものではなく、盟友エンゲルスの思想的協力や理論活動なしには理解できないからです。

1　エンゲルスとマルクスの個性の違い

　『マルクスとエンゲルス』の映画（DVD版、大月書店）やマンガ（高文研）を見ても分かりますように、2人の個性はかなり異なっていました。そのことは、マルクスの娘たちの質問に応えた「告白」でも、対照的です。ただ、これは当時流行していたお遊びです。2〜3紹介してみましょう。

　「あなたの好きな美徳」という質問に、マルクスは「素朴」、エンゲルスは「陽気」と応え、「あなたの好きな仕事」には、マルクスは「本の虫になること」、エンゲルスは「からかいあうこと」と、また「あなたの好きなモットー」には、マルクスは「すべてを疑え」、エンゲルスは「いつも平静に」と応えています。

　これをみただけでも、2人の個性は、かなり違っていたことがわかります。個性だけではなく、発想や文章表現も異なっています。エンゲルスは雄弁家でしたが、マルクスはそうではありませんでした。エンゲルスもマルクスも具体的な現実を重視して、そこから出発しています。それが、哲学的には、唯物論と結びつくことになりました。

　2人とも、多感な若いときは、詩人になりたがっている点では共通していましたが、エンゲルスは漫画が好きで、原稿や手紙の余白に挿絵も

描いています。思想的な文章を書くようになってからは、マルクスは、現実を掘り下げて、それを総体としてつかみ取ることに傾注し、そのための言葉を紡ぎましたが、エンゲルスは、現実の本質的なものを直観的に鋭くとらえて、流暢に叙述することが得意でした。これは、2人の思考回路の違いによるのでしょうが、その違いが、互いにとって有益であったのではないでしょうか。

　マルクスは、ベルリン大学で、ヘーゲルを含めて哲学の勉強をし、ブルーノ・バウアーらのヘーゲル左派の「ドクトルクラブ」に参加しました。エンゲルスは、ギムナジウムを中退して紡績工場主であった父親の家業を手伝いますが、兵役を志願して、1841年ベルリンに1年間滞在したときに、ベルリン大学でシェリングの講義を聴講したり、ヘーゲル左派との交流を深めたりしました。ベルリンでは、2人は入れ違いで、会っていません。

2　2人の出発点はヒューマニズムの精神

　2人の思想は、最初から一致していたわけではありません。彼らの生涯をみれば、友情の絆で結ばれながら、協力し、協同で思想を練り上げていったことがよくわかります。2人は思想的な協力者であり、社会変革の同志でした。しかし、基本的な考え方や思想の基調は同じであったとしても、理論の細部にわたるまで、まったく一体であったと考える必要はないでしょう。その方が、むしろ不自然だからです。

　エンゲルスもマルクスも、思想形成の出発点にあったのは、労働者の生活への共感と彼らの生活が非人間的状態に貶められていることへの怒りでした。ヒューマニズムの精神でした。そのため、エンゲルスは、しばしば、労働者を搾取している工場主の息子であることに悩みぬいています。

　エンゲルスは、『イギリスにおける労働者階級の状態』やその直後の論文で、労働者の日常生活や運動について、「労働者は、日常生活においてブルジョアジーよりもはるかに人道的である」(『全集』第2巻357

フリードリヒ・エンゲルス　　　　カール・マルクス

頁）、「プロレタリアの教養と運動の全体は、本質的にいってヒューマニスティック」である（同上640頁）と、語っています。

　マルクスも、『学位論文』で、火を盗んだといわれるギリシア神話のプロメテウスを、ヒューマニズムの「殉教者」として描き、「ヘーゲル『法哲学』批判序説」では、「人間にとっての根本は、人間そのものである」「人間が人間にとっての最高の存在である」（『全集』第1巻422頁）と主張しています。2人とも、若いときから、ヒューマニズムの精神を重視し、生涯、それをもち続けていました。エンゲルスとマルクスを結びつけたのが、このヒューマニズムの精神です。

3　協力し合って思想形成をおこなう

（1）「国民経済学批判大綱」がマルクスにあたえたインパクト

　最初にエンゲルスがマルクスに会ったのは、1842年11月です。マルクスが編集長をしていた『ライン新聞』の編集部でした。そのときは素っ気ない出会いだったと伝えられています。

　その翌々年、エンゲルスは「国民経済学批判大綱」を、マルクスがルーゲと共同で編集した『独仏年誌』に発表します。マルクスは、この論文に大きな刺激を受け、経済学の研究を始めることになります。そのインパクトの大きさは、後にマルクスが『経済学批判』や『資本論』で、この本をひき合いにだしているのをみても分かります。マルクスの経済

学研究の最初の成果が、『経済学・哲学手稿』ということになります。

　エンゲルスが「国民経済学批判大綱」を書いたことがきっかけとなって、マルクスとの手紙の交換が始まります。2人が再会したのは、1844年の夏、パリにおいてです。エンゲルスは、10日間ほどマルクスの家に滞在し、飲食をともにして議論するなかで、互いの思想的一致を見出して、友情を育みました。2回目の出会いで、10日間も一緒に生活するのは、2人の青年が人間的に共感し、思想的に共鳴するところがあったからでしょう。マルクスはワインが好きでしたが、エンゲルスの方がお酒は強かったようです。

　その後、2人は協力して、協同で3冊の本を執筆します。そこで思想的に確認し合ったことが、その後の2人の思想の共同のベースになっています。そのことを確認しておくことは重要です。

　最初の共同執筆は、ブルーノ・バウアーらのヘーゲル主義者（ヘーゲル左派）を批判した『聖家族』です。これは、10日間の共同生活のなかで生まれたプランで、そのほとんどを、マルクスが執筆しています。エンゲルスとの10日間にわたる議論が、そこに集約されていると推測できます。

　次に、『ドイツ・イデオロギー』の手稿を執筆しました。公刊されたのは、2人の死後、1932年になりますが、これは、唯物史観（史的唯物論）の基本的視点が最初に確立された本として重要です。

　さらに、正義者同盟が共産主義者同盟に改組されたさいに、綱領として『共産党宣言』を書き下ろしました。出版されたのは、フランスから起こった「1848年革命」の直前でした。

（2）ヘーゲル左派との決別──唯物論の立場

　最初の共同著作『聖家族』は、ブルーノ・バウアーを中心としたヘーゲル左派の批判です。マルクスもエンゲルスも、それまでヘーゲル左派の思想的影響を受けていましたので、彼らと思想的に決別して、自らの思想的立ち位置を明確にする必要がありました。ほぼ10日にわたる2人の濃密な議論によって獲得されたものです。それが、唯物論でした。

　ヘーゲル左派の特徴は、ヘーゲルの神を「自己意識」におきかえたことにあります。神も「自己意識」も、精神的主体です。神は人間を超えた絶対的精神であり、「自己意識」は、人間の身体から昇華された精神です。現実の人間は、身体と精神の統一体で、現実に制約され、束縛され、そのなかで生活していますが、「自己意識」は、現実から浮遊して、自由に現実を批判できる抽象的な批判的主体です。2人は、高踏的批判をおこなうこのような主体を「批判的批判」と揶揄しました。

　マルクスとエンゲルスは、ヘーゲルの精神やヘーゲル左派の「自己意識」を観念論として特徴づけるとともに、それに対置したのが、フォイエルバッハの、「自然の基礎のうえにたつ現実的人間」（『全集』第2巻146頁）（注1）と、17世紀から18世紀にかけてのイギリスやフランスの唯物論でした。『聖家族』は、「近代の実験科学全体」（同上133頁）の発展や「フランス生活の実践的形態」（同上132頁）「社会生活」（同上135頁）と結びついて展開されてきた唯物論の流れを対置することによって、ヘーゲルやヘーゲル左派の観念論に対して、唯物論の立場を自らの立ち位置として鮮明にさせたわけです（注2）。

（3）労働者の生活を重視した生活者の思想

　マルクスもエンゲルスも、唯物論の観点から、「自己意識」ではなく、現実の人間の生活を重視しました。さのさい、マルクスは、現実の人間の生活が「公的生活」と「私的生活」に分裂していることを問題にし、エンゲルスは、現実の労働者が非人間的扱いを受けていることを問題にしました。ここにも、二人の思考様式やアプローチの違いをみてとることができます。

　そのような違いがありながらも、『ドイツ・イデオロギー』では、現実の人間の生活から出発しました。『ドイツ・イデオロギー』の第1章「フォイエルバッハ」では、次のように書かれています。

　　「われわれは、（ヘーゲル左派のような――筆者）無前提なドイツ人のところでは、すべての人間的存在の、したがってまたすべての歴史の

最初の前提、すねわち、人間たちは『歴史をつくる』ことができるためには生活することができなければならないという前提を確認することからはじめなければならない。しかし、生活するために必要なのは、とりわけ、飲食、住居、衣服、そしてさらにその他いくつかのものである。したがって、最初の歴史的行為は、これらの欲求を充足するための諸手段の産出、物質的生活そのものの生産であり、しかも、これは、人間を生かしておくだけのためにも、数千年前と同様に今日もなお日々刻々はたさなければならない歴史的行為、すべての歴史の根本的条件である」（『ドイツ・イデオロギー』35頁）。

長い引用になりましたが、ここに、2人の基本的な考え方が示されています。衣食住を中心とした人々の生活、それを支える物質的生産が、人間が生存し、社会や文化、歴史をつくっていくための「最初の前提」「根本的条件」であると、主張されています。

人々の物質的生活の再生産をベースにして、そこから人々の生活を重視するマルクスとエンゲルスの思想を、私は「生活者の思想」と呼んでいます。

「生活者」というと、労働者にたいして消費者を指しているように受け取られるかもしれませんが、そのような生活者ではありません。労働し、消費し、余暇を享受しながら、自らの生を生きぬく生活者です。『ドイツ・イデオロギー』が主張したのは、人間が生存するためにはまずもって、衣食住を中心とした物質的生活が営まれなければならず、そのためには、労働し、生産をおこなわなければならないということです。それゆえ、生活には、労働することも含まれています。その主体は、当然、生活する者、すなわち生活者ということになります。

生活者は、自然的・社会的・歴史的な物質的諸条件のもとで生活し、この物質的諸条件によって制約され、規定されています。マルクスとエンゲルスは、人々の生活が物質的生産や物質的諸条件によって制約され、規定されている現実をみすえていました。そこから出発して、物質的生活—精神的生活、物質的生産—精神的生産、物質的交通—精神的交通と

いった一連の対概念を用いて、社会や歴史のあり方を唯物論的に考察し、唯物史観のアウトラインを描きました。

　唯物史観は、『ドイツ・イデオロギー』を書くことによって獲得した成果です（**注3**）。もともとは、それを意図したものではなく、ヘーゲル左派の「自己意識」にたいして、「利己（エゴ）」を対置したシュティルナーを批判することにありました。シュティルナーの「利己（エゴ）」は、資本主義に毒された個人のあり方を絶対化したものです。ヘーゲル左派の「自己意識」にたいして、「利己（エゴ）」というかたちで、現実の人間を対置したために、シュティルナーの本は大きなインパクトをもちました。『ドイツ・イデオロギー』は、現実に生活している人間を「利己（エゴ））」のかたまりとしてとらえ、「エゴイストの連合体」を主張したシュティルナーを批判して、労働者が人間的成長をとげる場でもある「労働者の連合体」「アソシエーション」の運動を対置したのです。この考察は、『共産党宣言』につながっていきます。

（4）労働者のアソシエーションの運動から真の協同社会へ

　『共産党宣言』は、社会変革を目指したドイツ人亡命者団体である正義者同盟が、共産主義者同盟に改組されたさいに、マルクスとエンゲルスに委託して書かれた綱領文書です。『共産党宣言』の最後にある「万国の労働者、団結せよ！」という言葉は、改組された総会で掲げられたスローガンでした。

　「一つの妖怪がヨーロッパをさまよっている」で始まる『共産党宣言』は、「これまでのすべての社会の歴史は階級闘争の歴史である」（『共産党宣言』48頁）ことを最初に明確にしています。この視点から、労働者階級は、「ブルジョア的所有を廃止する」（同上73頁）ことによって、階級や階級対立のない社会を目指して、「プロレタリア（労働者―筆者）階級は、ブルジョアジーにたいする闘争において必然的に連合し（vereinen）」（同上86頁）、運動をおこないます。

　『共産党宣言』の意義や内容については、本書の第3章を参照していただくことにして、ここでは、マルクスとエンゲルスの共同の思想的べ

ースとなった点について、確認しておくことにします。

　その未来社会について、『共産党宣言』は、「階級と階級対立のうえに立つ旧ブルジョア社会に代わって、各人の自由な発展が万人の自由な発展の条件であるような一つの協同社会が現われる」（同上）と述べています。「協同社会」の原語は、アソシエーション（Assoziation）です。アソシエーションとは、「連合した個々人」（同上）が自立した個々人として自由に協力し、結びついた協同社会を意味しています。

　『ドイツ・イデオロギー』では、シュティルナーの「エゴイストの連合体」にたいして、自立した個々人が自由に結びつき活動する労働者の「連合体」、アソシエーションの運動が共産主義運動の主体としておしだされました。『共産党宣言』ではそれを継承して、労働者の連合したアソシエーションの運動の先に、協同社会としてのアソシエーションを展望しています。

　刊行されず、「ねずみのかじるままに」された本も含め、これらの本を協同で執筆したことは、その後のマルクスとエンゲルスの思想的な協力の基盤となりました。1つは、唯物論の立場です。もう1つは、個々人の物質的生活の再生産にもとづく唯物史観の構想です。3つ目は、将来の協同社会（アソシエーション）を目指す労働者の連合体、アソシエーションの運動です。この3点が、その後の2人の理論的・実践的活動を支えた基本的な観点になっていきました。

4　エンゲルスの中期と後期の活動

（1）マルクスへの経済的支援
　ドイツの3月革命が頓挫した後、1849年に、エンゲルスとマルクスは、ロンドンで落ち合います。エンゲルスは『ドイツの農民革命』、『ドイツにおける革命と反革命』を執筆します。これは、ドイツ革命が頓挫した教訓に学びながら、階級闘争の視点から書いた歴史書になります。
　マルクスは、大英博物館の図書室に通いながら、資本主義の仕組みを

解明するために、本格的に経済学の研究に取り組むことになります。そのマルクスを経済的に支えたのが、エンゲルスです。

　そのために、妹に仲介してもらい、父親と和解して、マンチェスターの工場の経営にかかわり、約20年間の長きにわたって、工場で働きます。経営手腕を発揮して、最後は支配人になりました。

　この間、エンゲルスは、工場経営だけに没頭していたわけではありません。現実やそれにかんする資料を分析し、情勢や軍事論にかんする評論を書き、そしてマルクスに情報を提供していました。それだけではなく、マルクスの名前で、アメリカの新聞「トリビューン」にも寄稿しています。

　マルクスが貧困と病気に悩まされながらも、『資本論』を書き上げたのは、エンゲルスの経済的支援があってこそ可能になったということができます。この間も、エンゲルスは、マルクスと手紙のやり取りをしていて、思想的・理論的な意見の交換をしています。

　1870年秋には、エンゲルスは工場をやめてロンドンに移り住み、本格的に執筆活動と運動に着手することになります。そのときの喜びをエンゲルスはマルクスに書き送っています。「万歳！今日で穏当な商売はおしまいになり、僕は自由人だ」（『全集』第32巻、259頁）、と。エンゲルス、48歳でした。

（2）エンゲルスの理論活動と実践活動

　その後、エンゲルスは、マルクスのいるロンドンに移り住み、旺盛な理論活動をおこない、労働者の共産主義運動に身を投じます。この後のエンゲルスの活動には、３つの柱があります。

　１つは、理論活動です。多くの執筆をおこなっています。エンゲルスの主な著作をあげると、次のようになります。

『自然の弁証法』（手稿、1873〜1886年）

『反デューリング論』（1878年）

『空想から科学へ』（1880年）

『家族、私有財産および国家の起源』（1884年）

『フォイエルバッハ論』（1886年）

　いずれもマルクス主義の古典としてよく読まれているものです。有名な論文「猿から人間になるにあたっての労働の役割」は、『自然の弁証法』に入っています。これらの著作のうち、マルクスの生前に出版されたものは、マルクスとの意見交換をしながら執筆されています。

　2つ目は、運動面における貢献です。エンゲルスは、工場を離れてロンドンに移り住んでから、国際労働者協会（第1インターナショナル）の運動にかかわりました。この「創立宣言」はマルクスによって書かれました。8時間労働など、労働者の権利獲得の運動に取り組みました。8時間労働を最初に掲げたのも、第1インターナショナルです。エンゲルスは、マルクスとともに、第1インターナショナルを指導して、無政府主義者とたたかいました。晩年、エンゲルスは、第2インターナショナルにもかかわっています。

　3つ目は、マルクスが残した『資本論』第2巻、第3巻の手稿を編集して出版したことです。この編集作業・出版によって、私たちは、資本主義社会の経済構造を解明した『資本論』を全体として学ぶことができるようになりました。

5　後期エンゲルスとマルクスとの思想的・理論的協力

　後期のエンゲルスの理論的活動は、若いときにマルクスと協同で確立した思想的立場を継承し、その基盤のうえで、思想的・理論的協力がなされています。2人の往復書簡をみただけでも、そのことはよくわかります。

　2人の思想的・理論的協力のなかから、ここでは、特徴的ものとして3点ほど取り上げてみたいと思います。それぞれ異なったかたちでの思想的・理論的協力です。1つは、エンゲルスのエコロジー思想、もう1つは、マルクスの「モーガン『古代社会』摘要」をひき継いだ『家族、私有財産および国家の起源』、そして『資本論』第2巻、第3巻の編集と出版です。

（1）エンゲルスのエコロジー思想

　エンゲルスは、若いときから労働者の生活環境に関心をもっていました。そのことは、『イギリスにおける労働者階級の状態』で、イギリスの工業地帯の労働者が、大気汚染や河川の汚染、ひどい住居環境など、劣悪な環境のなかで生活している実態を告発しているのをみても、よくわかります。

　『自然の弁証法』のなかでは、古代のギリシアや小アジアにおける森林伐採が、「第2次的、第3次的」には、まったく予想もしなかった被害をひき起こすことによって、自然から「復讐」されることを指摘しています。この自然の「復讐」の指摘は、エコロジー視点からみてきわめて重要です。

　この視点が確立されるには、マルクスのアドバイスがありました。マルクスは、『資本論』（1867年）で、近代の略奪農業を批判するリービッヒを評価しながらも、その直後に、農学者フラース『気候と植物界の時間的変化──両者の歴史について』（1847年）を読み、化学肥料の補給の大切さを主張するリービッヒよりも、自然の力に依拠したフラースの沖積理論（沖積平野の肥沃さが河川による堆積作用によってもたらされることを主張）を高く評価して、彼を「無意識的に社会主義的傾向」があるとまで称賛しています。

　そして、エンゲルスに、「フラースの結論は、耕作は、──もしそれが自然発生的に前進していって意識的に支配されないならば、……──荒廃をあとに残す、ということだ。ペルシアやメソポタミアなど、そしてギリシアのように」（『全集』第32巻45頁）と書き送りました（1868年3月25日付けのマルクスのエンゲルス宛手紙）。この手紙の文面は、『自然の弁証法』におけるエンゲルスの文章と重なり合っています。

　今日、自然の「復讐」は、エンゲルスのエコロジー思想として高く評価されていますが、その背景には、マルクスのアドバイスがあったことを見落とすわけにはいきません。エンゲルスがエコロジー思想を確立したのには、手紙を通した2人の思想的・理論的協力がありました。

（2）「モーガン『古代社会』摘要」をひき継いだ『家族、私有財産および国家の起源』

　マルクスは、1880年から81年にかけて、『資本論』第２巻、第３巻の執筆を中断して、モーガン『古代社会』を読み、詳細なノート（「モーガン『古代社会』摘要」）をつくりました。『共産党宣言』では、「あらゆる歴史は階級闘争の歴史である」という認識をもっていたマルクスでしたが、その後、階級社会以前に無階級の共同社会が存在することに気がつきました。モーガンの『古代社会』のうちに、無階級の共同社会の具体的なあり方が展開されていることに注目して、それを唯物史観のうちに位置づけるために、集中して勉強したのだと思います。

　このノートの直後に、たまたまだと思いますが、ロシアの社会運動家のザスーリチから、ロシアの農村共同体をどう考えるのかという問いかけの手紙（1881年２月16日付け）をもらい、マルクスは４回の下書きを繰り返して、返事をしています（1881年３月８日付けのマルクスのザスーリチ宛ての手紙）。階級関係成立以前の共同体に、マルクスの関心が集中していた時期だといえるでしょう。

　しかし、マルクスはこの研究成果をかたちあるものとして残すことができないままに、1883年３月14日に亡くなりました。マルクスの遺稿集のなかに、「モーガン『古代社会』摘要」を発見したのがエンゲルスです。エンゲルスは、すぐに自らモーガンの『古代社会』や古代社会にかんする他の著作に目をとおして、それを踏まえて『家族、私有財産および国家の起源』を執筆します。エンゲルスもまた、モーガンの『古代社会』が提起した問題が唯物史観にとって重要であることに気づいたからでしょう。

　エンゲルスは、『家族、私有財産および国家の起源』の「序文」で、「ある程度まで（マルクスの――筆者）遺言の執行をなす」ものであると、語っています。マルクスの仕事を受け継いで、それをかたちあるものとして完成させたといえるでしょう。モーガンの『古代社会』に大きな理論的刺激を受けた２人が協力・協同して、唯物史観のうちに原始共同体

の社会を位置づけることになったわけです。

　ただ、マルクスの「遺言の執行」は、「ある程度まで」と、断っています。この断りのうちに、エンゲルスの独自の問題関心やアプローチの仕方をかいま見ることができます。「モーガン『古代社会』摘要」は、夫婦関係を中心とした共同体のあり方がどうなっているかということにかんするノートにとどまっています。それにたいして、『家族、私有財産および国家の起源』は、階級社会以前に無階級の原始共同体の社会があったという歴史を前提にして、そこから、いかにして階級社会や国家が生まれたのかということを主題にしています。

　このようなエンゲルスの問題設定は、他のところでも見ることができます。『自然の弁証法』にある「猿が人間になるにあたっての労働の役割」という論文は、猿から人間への発展の過程で、労働のはたした役割と意義について書かれたものとして注目されていますが、エンゲルス自身は、この論文を『隷属の三つの基本形態について』という表題の本を構想していて（実現しませんでしたが）、その序論として書いたものです。この構想には、人間の生活のあり方を特徴づける労働が、搾取される労働へどのように変わっていったのかということに、エンゲルスの問題関心があったことを伺い知ることができます。こういった問題関心やアプローチの仕方は、無階級社会からいかにして階級社会や国家が生まれたのかという『家族、私有財産および国家の起源』の主題にも共通しているといえるでしょう。

（3）『資本論』第2巻、第3巻の編集

　エンゲルスは、さらに、マルクスの遺稿となった『資本論』第2巻、第3巻の手稿を編集して出版しました。現在、日本共産党社会科学研究所編で、新しい『資本論』の翻訳が進行中ですが、そこでは、エンゲルス編集のものと、マルクスの手稿の相違も訳注で丁寧に指摘されています。その違いを分析することは、資本主義の解明を深めていくために有益でしょう。

　エンゲルスとマルクスの違いを一点だけ取り上げてみたいと思います。

『資本論』では、環境破壊は、「人間と大地（自然——筆者）の物質代謝の撹乱」「亀裂」として特徴づけられています。このうち、「亀裂」にかんしては、マルクスの手稿の文章とエンゲルスが編集した現行版『資本論』では異なっています。

マルクスの手稿における記述
　「社会的な物質代謝と<u>自然的な</u>、すなわち<u>大地の</u>自然法則によって命ぜられた物質代謝との連関のうちに修復できない亀裂をつくり出す」（邦訳なし、新メガ２部４−２巻753頁、下線、筆者）。

現行版『資本論』における記述
　「社会的な物質代謝と、<u>生命の</u>自然法則に規定された物質代謝の連関のうちに修復できない亀裂を生じさせる」（『全集』第25巻b1421頁、下線、筆者）。

　マルクスの手稿では、「社会的物質代謝」は使用価値をもった商品・貨幣を媒介にした売り手から買い手への素材の変換を、「自然的な…物質代謝」は人間と自然の物質代謝を意味しています。マルクスは、「自然的な…物質代謝」と「社会的物質代謝」の「亀裂」を語ったのですが、エンゲルス編集の現行版『資本論』は、この「自然的な」を省き、「大地の自然法則」を「生命の自然法則」に変更しています。この違いを指摘した斎藤幸平氏は、エンゲルスには、「人間と自然の物質代謝」の「撹乱」というマルクスのエコロジー的視点が「欠けている」のではないかと指摘しています（**注４**）。
　マルクスもエンゲルスも資本による自然の収奪を批判しました。そのさい、エンゲルスのエコロジー的視点は「自然の復讐」であり、マルクスのエコロジー的視点は「人間と自然の物質代謝」の「撹乱」であるということができます。ここには、自然の収奪を批判するさいの２人の問題関心やアプローチ、力点の置き方の違いを見ることができます。

おわりに

　マルクスを語るとき、エンゲルスをぬきにしては語ることはできません
んし、エンゲルスを語るときも、マルクスをぬきにしては語ることができません。それほど、2人は、友情で深く結ばれ、思想的に結びつき、社会変革を目指す生涯の同志でした。ただ、個性的にはかなり異なっていました。

　本稿では、若いときに協同執筆した著作のうちに、2人が練り上げた思想的・理論的基盤を確認するとともに、後期の思想的・理論的活動のなかに、2人の協力の跡を探ってみました。ここでは、特徴的なものを3点あげてみましたが、2人の思想的・理論的協力はそれだけにはつきません。

　この思想的・理論的な協力のなかでも、2人の問題関心やアプローチ、力点の置き方の違いはありますし、エンゲルスあるいはマルクスだけが論じている主題も多々あります。2人の思想をまったく一体のものとみなす必要はありません。個々の点で違いを認めたうえで、マルクスとエンゲルスが協力しながら創りあげた思想（科学的社会主義）を、今日の時点で、歴史的現実と対話しながら、学ぶことが大切だと思います。

注
注1　『聖家族』では、フォイエルバッハの現実的人間主義が評価されていますが、マルクスがその数か月前に執筆した『経済学・哲学手稿』のなかでは、フォイエルバッハは、「真の唯物論と現実的な科学の基礎」（『全集』第40巻492頁）をおいた哲学者として評価されています。この視点は、『聖家族』におけるイギリスとフランスの唯物論にたいする評価と重なり合っています。
注2　エンゲルスは、『フォイエルバッハ論』で近代哲学の「根本問題」として、唯物論か、観念論かの問題を提起しましたが、それとの関連については、拙論「エンゲルス生誕200年によせて」（『季論21』第50号、2020年秋）を参照されたい。
注3　『ドイツ・イデオロギー』は、第1章「フォイエルバッハ」、第2章「聖ブル

ーノ」（ブルーノ・バウアー批判）、第3章「聖マックス」（マックス・シュティルナー批判）からなっています。第2章は、すでに『聖家族』でバウアー批判をおこなっていましたので、簡潔です。『ドイツ・イデオロギー』はシュティルナー批判の第3章が中心で、本全体のおよそ5分の4を占めています。第1章は、第3章を書きながら構想されたと推測されます。最後に書かれました。唯物史観の構想は、その第1章のなかで提起されています。『ドイツ・イデオロギー』を共同執筆するなかで、2人が理論的にたどり着いた到達点ということができるでしょう。

注4　斎藤幸平『大洪水の前に──マルクスと惑星の物質代謝──』堀之内出版、2019年、305頁。

第2章
社会科学入門としての
『イギリスにおける労働者階級の状態』

赤堀　正成

はじめに

　世の中の仕組みや動きを誰かに解説してもらうだけでなく、自分なり
に考えて、職場の友人や組合の仲間と議論できるようになりたい。地域
の労働学校に参加して大切なことを学んでいる（学んだ）し、また勤労
者通信大学も受講している（受講した）けれども、これから先、どうい
うふうにして学んでゆけばよいのか、独習できる、何か適当な社会科学
入門の本はないかしら——と思う方はきっと少なくないと思います。

　さらにできれば、マルクスやエンゲルスが書いた古典を読んでみたい
けれども、いきなり挑戦できるかしら、専門的な言葉が多いようだし、
難しいという評判をしばしばきかされてきたし……等々。

　しかし、そういう方にまさに打ってつけの社会科学入門書があります。
『イギリスにおける労働者階級の状態』と『共産党宣言』がそれです。
この2つの本は、実は、社会科学入門として書かれたものです。

　1845年に出版された『イギリスにおける労働者階級の状態』は唯物論
的な労働問題、社会問題の捉え方を、1848年に出版された『共産党宣

言』は唯物論的な歴史の捉え方を、どちらも当時の労働者や非専門家に向けて、社会変革の実践のための社会科学入門として書かれました。

　もちろん、『イギリスにおける労働者階級の状態』、『共産党宣言』は、専門家や研究者が今日も繰り返し読んでいる（と思われる）本です。しかし、だからといって専門家向けの専門書だから、素人にわかるはずがないと敬遠してしまってはソンです。古典が古典である所以<ruby>ゆえん</ruby>は、初心者が読んでも専門家が読んでも、それぞれに面白くその度に新しく学べることにあるはずだから。

　そこで、本稿が対象とするのは『イギリスにおける労働者階級の状態』です。社会科学入門として『イギリスにおける労働者階級の状態』を読んだときに興味深い——と私には思われた——二、三の点について見てゆきたいと思います。そうではなく、しっかりとした解説がほしいという方にはすでに浜林正夫他『古典入門　エンゲルス　イギリスにおける労働者階級の状態』（学習の友社）があります。

1　『イギリスにおける労働者階級の状態』の問題意識

　『イギリスにおける労働者階級の状態』は24歳のフリードリヒ・エンゲルスによって書かれ、1845年に出版されました。

　それから47年、1892年に、72歳になろうとする老エンゲルスは『イギリスにおける労働者階級の状態』のドイツ語第2版への序文をつぎのように書きだしています（以下では、新日本出版社から出ている浜林正夫訳『イギリスにおける労働者階級の状態』上・下を用いて、書名は『状態』と略します）。

　　ここにドイツの読者が新しく入手できるようになった書物は、1845年の夏にはじめて出版されたものである。この書物は、著者の若さを、よい面でも悪い面でも、あらわしている。当時私は24歳であった。いま私はその3倍の歳になっているが、この若いときの著作をもう一度読み返して、けっして恥ずかしがる必要はないと思った。（『状態』下、192頁）

　このような老エンゲルスのみずからの青春期の仕事に対する自負は、労働史ならびに19世紀ヨーロッパ史を専門としたマルクス主義歴史家エリック・ホブズボームによる、「あの時代の労働者階級についての唯一抜群の最善の本」という評価にも裏書きされています。ホブズボームはつぎのように述べています。

　　19世紀を専門とするすべての歴史家、また労働者階級の運動に関心をもつすべての人の書斎で、この本が占める位置にとって代われるものはない。本書は、人間解放のためのたたかいにおいて不可欠の仕事であり、その転換点を示すものである。（エリック・ホブズボーム『いかに世界を変革するか　マルクスとマルクス主義の200年』作品社、134頁）

　ドイツ語で書かれた『状態』は、ようやく産業革命がはじまりつつあったドイツ国民にむけて、当時、資本主義の最先進国としていち早く産業革命を開始していたイギリスの労働者階級の現状を示すことで、いまやドイツにも生まれつつある労働問題＝新しい社会問題の在りかとその構造を説明しようとします。
　青年エンゲルスは、『状態』を準備しながら、1844年、シュレージェンの織布工蜂起こそは「後進国」ドイツで開始された産業革命が、「先進国」イギリスと同様の労働問題、そして労働運動の本格的開始を宣言するものだと捉えます。そして「イギリスの典型的なプロレタリアの状態をえがくことは──とくに現在の瞬間においては──ドイツにとって大きな意味をもっている」と強調してつぎのように記します。

　　プロレタリアの現実の生活状態はわれわれのあいだではほとんど知られていないので、善意の「労働者階級向上協会」でさえ…中略…労働者の状態についてこっけいな馬鹿げた意見をいつも基礎にしているのである。われわれドイツ人はなによりもまずこの問題について事実を知ることが必要である。そして、たとえドイツのプロレタリアの状態がイギリスのような典型的な形にまで成熟していないとしても、それでもわれわ

れは基本的には同じ社会秩序をもっているのであって、それは遅かれ早かれ、北海の向こう側 {イギリス：引用者補} ですでに到達しているのと同じ頂点まで、おしすすめられていくに違いない——ただし、国民が見識をもって社会組織全体に新しい基盤を与えるような方策を時機を逸することなく完成させることができれば、そうはならないだろうが。イギリスにおいてプロレタリアの貧困と抑圧を生みだしたのと同じ根本原因が、ドイツにも同じように存在しており、ついには同じ結果を生むに違いない。しかしさしあたりは、この確認された┌イギリスの貧困がわれわれ┌ドイツの貧困を確認する契機をわれわれに提供し、また貧困のひろがりと——シュレージェンとベーメンの暴動において表面化した——この方面からドイツの当面の平穏をおびやかす危険の大きさを測る尺度を提供するであろう。（強調点は原文。『状態』上、19頁）

やや長い引用になりましたが、エンゲルスはこのようにイギリスの労働者の状態を知らせることで進行中の産業革命がドイツにもたらす労働問題＝新しい社会問題の捉え方を説いています。そして、いまの引用にあったように、「国民が見識をもって新しい社会組織全体に新しい基盤を与えるような方策を時機を逸することなく完成させることができれば」、イギリスのような事態を防ぐことができるかも知れない、と付け加えています。

こうした歴史の掴（つか）まえ方は、マルクスが『状態』から20余年、1867年に出版した『資本論』第１部序文に書かれた、「資本主義的生産の自然諸法則から生ずる社会的な敵対の発展程度の高低が、それ自体として問題になるのではない。問題なのは、これらの諸法則そのものであり、鉄の必然性をもって作用し、自己を貫徹するこれらの傾向である。産業のより発展した国は、発展の遅れた国にたいして、ほかならぬその国自身の未来の姿を示している」（『資本論 – 第１分冊』新日本出版社、10頁）、「この過程は、一定の高さに達すれば、{イギリスからヨーロッパ：引用者補} 大陸にはね返ってくるに違いない。それは大陸では、労働者階級自身の発展に応じて、より残忍な形で、あるいはよりヒューマンな形で、

行なわれるだろう」（同、11頁）という記述のなかにこだましていると言えるでしょう。

　注目されるのは、青年エンゲルスは『状態』のなかで、「先進国」イギリス資本主義が生み出している労働者階級の貧困は、労働者個々人の責任ではなく、「社会組織全体」、「社会秩序」が生み出していると早くも見抜いていることです。

　労働者の貧困は社会の責任ではない、個人の責任、すなわち自己責任だ、という主張は21世紀も20年を経過しようとする今日ますます強くなっています。それを思うと、24歳のエンゲルスが1845年に出版された本書で、「社会組織全体」、「社会秩序」が貧困を生み出しているのだ、個々人の責任ではない、と早くも洞察していることに驚かされます。

　「いや、貧困は社会の責任であって、個々人の自己責任ではない」とすでに考えている方は、青年エンゲルスのこの洞察をかえって"常識"的なものと受けとめて、むしろ、「取り立てて驚く方がどうかしているのでは？」と思われるかも知れません。

　しかし、今日マスメディアが流布する、新自由主義的な自己責任を強調するイデオロギーに抗して、反対に、資本主義社会、その新自由主義政策こそが貧困を生み出しているのだ、と考えることができるということに、エンゲルスが青春期の情熱を結晶させた『状態』が与っているはず、と私は思います。

　さて、先に述べたように、『状態』はドイツ国民に、当時の資本主義の「先進国」イギリスを典型事例として、「労働者階級の状態は現在のあらゆる社会運動の実際の土台であり、また出発点である」ことを示し、ドイツの社会変革に役立てようとしたものです。つまり、青年エンゲルスは自覚的かつ戦略的に『状態』を新しい社会科学入門として書きました。

　もちろん、そこで扱われている素材は1845年までのイギリスの労働者階級の状態と、それに根拠をもつ労働者階級の運動です。でも、だからといって、今日私たちの暮らす日本社会を捉え返そうとするときに役立たないわけではありません。むしろ、逆といっていいかも知れません。

『状態』の訳者である浜林正夫は別のところでつぎのように書いています、「歴史に学ばないものは当面の課題について場当たり的な対応しかできない」、「過去にさかのぼって自国の労働運動の歴史を学ぶとともに、諸外国の労働運動との比較から学ぶことも大切です」（浜林正夫『イギリス労働運動史』「あとがき」、学習の友社）、と。

　実際、歴史に学ばなければ、現状は、タイルを敷きつめた床のように平面化しノッペリとして掴みどころがなくなります。それでは、立体的なものとして変化し続ける現実を具体的に捉える上で、大きな不利を背負い込むことになります。現在のことのみを知っていても、過去を知らなければ、現在の現在たるゆえんはわかりません。同様に、日本のことのみを知っていても、外国のことを知らなければ、日本の特徴を本当に実感をもって捉えることはできません。

　だから、『状態』を読むのは、19世紀前半のイギリス労働史について試験対策的な知識を仕入れるためではもちろんありません。エンゲルスが個々の具体的事実に対峙しながら、働かせている感性と思考こそが『状態』を古典たらしめ、電車の中で読んでも寝ながら読んでも面白い本にしています。『状態』を読んでいるうちに、はじめはわかりにくくても、エンゲルスの感性と思考の働き方、あるいは働かせ方に徐々に慣れていくことができます。そして、そのように慣れてきたらしめたもの。それは、エンゲルスの唯物論的な歴史感覚、歴史把握を自前のものとして自分のうちに育てつつある、ということです。

2　産業革命の世界史的意義──プロレタリアートの発生

（1）産業革命の世界史的意義
　エンゲルスは『イギリスにおける労働者階級の状態』の「序説」でつぎのように述べています。

　　イギリスの労働者階級の歴史は、前世紀の後半に、蒸気機関と綿花を

加工する機械との発明とともにはじまる。これらの発明から、よく知られているように産業革命へつきすすんでいくことになるのだが、この革命は同時に全ブルジョア社会を変革したのであり、その世界史的意義はようやく認識されはじめたばかりである。イギリスはこの変革の古典的な土地であって、その変革は静かにおこなわれただけに、それは一層強力なものであった。したがって、イギリスは、この変革のもっとも重要な結末であるプロレタリアの発展にとっても古典的な国なのである。プロレタリアートは、イギリスにおいてのみ、その生活状態のすべてにおいて、あらゆる角度から、研究することができる。（『状態』上、21頁）

ここでキーワードになっている「産業革命」（学校で歴史の授業できいたはず）については、『状態』から2年余り後、1847年10月末から11月（マルクスとともに『共産党宣言』を執筆する直前）にかけてエンゲルスが書いた「共産主義の原理」の一節でつぎのようにまとめられています。

産業革命はいたるところで、それがブルジョアジーを発展させたのと同じ程度でプロレタリアートを発展させた。…中略…産業革命はブルジョアもプロレタリアも大都市に集中させ——工業は大都市において最ももうけの上がる商売ができる——、そして膨大な大衆をこのように一つの場所に集合させることを通じて、プロレタリアに自分たちの強さを意識させる。…中略…産業革命は一方ではプロレタリアートの不満を増大させることによって、他方ではプロレタリアートの力を増大させることによって、プロレタリアートによる社会変革を準備するのである。（強調点は原文。「共産主義の原理」、『共産党宣言』光文社古典新訳文庫所収、26頁以下）

エンゲルスのこういう「産業革命」理解は、授業できいた説明とはやや趣が異なるかも知れません。「産業革命」がプロレタリアートを大都市に集中させること、そこから生まれるプロレタリアートの意識の変化と力の増大、そして、プロレタリアートの主体化、プロレタリアートに

よる社会変革までをつなぐ理解はたしかにエンゲルスに始まる理解といっていいでしょう。

（2）産業革命と前と後での労働者の違い

　エンゲルスは産業革命の「世界史的意義はようやく認識されはじめたばかり」といいますが、その「世界史的意義」をエンゲルス自身はどのように掴んでいるのでしょうか。そのことを知るために、エンゲルスの描く産業革命以前の世界を先に垣間見ておきましょう。

　　{機械が導入されて工場制度が登場する以前は：引用者補} 労働者は農村に分散して住んでいたので、労働者同士のはげしい競争もおこりえなかった。こうして、織布工はたいていいくらかのたくわえをもち、わずかな土地を借りて、ひまなときに──彼は好きなときに、好きなだけ織ることができたので、思いどおりにひまをもつことができた──耕していた。もちろん彼は農民としては劣っていて、その耕作も粗末であり、実際の収益も多くはなかった。しかし彼は少なくともプロレタリアではなく、…中略…彼は一定の土地に住み、現在のイギリスの労働者よりは一段高い社会的地位にいた。／　このようにして労働者は極めて快適な生活をのんびりと過ごし、たいへん信心深く、まじめに、正直で静かな生活を送っており、その物質的な状態は、彼らのあとをついだ人びとよりもはるかによかった。…中略…彼らの子どもたちは自由な農村の空気のなかで育ち、両親の仕事を手伝うようになっても、それはたまに手伝うだけで、1日に8時間とか12時間も働くというようなことは問題にもならなかった。（『状態』上、22-3頁）

　このように、今日の私たちからするとつい「どうしてなかなかいいのでは」と思われるような、いわば"牧歌的"な生活の描写の後で、エンゲルスは、冷や水を浴びせるかのように、つぎのように続けます。

　　しかし、その代わりに彼らは精神的に死んでいた。彼らは自分たちの

ささやかな個人的な利害と、織機と小庭園のためだけに生きていて、人類全体におよんで進行していた強力な動きについては、なにも知らなかった。彼らは自分たちの植物のような生活が気にいっていて、もし産業革命がなければ、こういうきわめてロマンティックで居心地はよいけれども人間には値しないような生活から、ぬけだすことはなかったであろう。彼らはまるで人間ではなく、これまで歴史をみちびいてきた少数の貴族に奉仕する機械にすぎなかったのである。産業革命はこういう状態の帰結をさらにいっそうすすめたにすぎないのであって、それは労働者を完全にたんなる機械に変えてしまい、彼らの手中に残されていた自立的な仕事をすっかり奪いとってしまったのだが、しかし、そのことによって彼らに、ものを考え、人間的な地位を要求する刺激を与えたのである。フランスにおいては政治が、そしてそれと同じようにイギリスでは工業とブルジョア社会の運動全体が、人類の普遍的な利害にたいする無関心のうちに埋没していた最後の階級を、歴史の渦中にまきこんだのである。(『状態』上、24-5頁)

「その代わりに彼らは精神的に死んでいた」、「人間には値しない生活」とは、はちょっと言い過ぎではないか、と思われるのですが、実は、エンゲルスは産業革命の「世界史的意義」をここから導いてきます。

　それまで地主の支配＝庇護のもとで「家父長制的な関係」(『状態』上、23頁) に疑問をもつこともなく満足していた労働者は、産業革命によってますます「機械」にされることで、かえって「ものを考え、人間的な地位を要求する」ようになる。つまり、労働者をして「人類の普遍的な利害」に目覚めさせたものこそが産業革命である、とエンゲルスは捉えます。こうして産業革命が、社会変革の担い手としての労働者＝プロレタリアートを登場させた、と捉えます。エンゲルスはイギリスの労働者の悲惨な状態を目の当たりにして燃え上がるような憤怒の念を抱きながらも、ここに見られるような冷徹な歴史感覚をもち、それゆえの壮大で同時に具体的な歴史認識を提示します。

　『状態』刊行の1年前、「マルクスが1844年パリで『独仏年誌』を刊行

し、そこでプロレタリアートの概念を提示したばあいでも、その概念は少なくともドイツ的地盤のうえでは、なお観念的」（良知力『マルクスと批判者群像』平凡社ライブラリー、91頁）なものにとどまっていましたが、「先進国」イギリスのマンチェスターに工場をもつブルジョアの息子（！）であるエンゲルスは当時のイギリス社会の実地の見聞に基づいて『状態』のなかでこれでもかというふうに具体的事実を積み上げて、同時に、「あれもあった、これもあった」というように事実の堆積に埋没することなく、とても具体的かつ全体的にプロレタリアートの状態とそれがもつ可能性を描き出します。

　このように産業革命の消極的、否定的な側面を見据えながら肯定的、積極的な側面を主要なものとして同時に掴もうとする思考は弁証法的思考といわれます。青年エンゲルスがその思考を『状態』の様々な箇所で──「弁証法的思考というのはね」云々と抽象的、例示的、教科書的に示すのではなく──具体的対象に即して具体的に展開していることが『状態』の大きな魅力です。

3　階級と階級的利害──社会関係に規定されている人間

　資本主義は、産業革命を経て、プロレタリアートとブルジョワジーの二大階級を生み出します。そしてこのプロレタリアートとブルジョアジーの利害は相容れない、対立しているとエンゲルスは述べます。

　　諸君｛プロレタリアート：引用者補｝が彼ら｛ブルジョアジー｝からはどんな支援も期待していないのは正しい…中略…彼らの利害は諸君の利害と真正面から対立しているのである。たとえ彼らがその逆のことを主張し、心から諸君の運命に同情しているのだと諸君に信じこませようと絶えず努力しているにもかかわらず、利害は対立しているのだ。彼らの行動は彼らの主張が嘘であることを示している。（『状態』上、14頁）

「彼らの行動は彼らの主張が嘘であることを示している」は、『状態』

のすぐ後で書かれる、マルクスとの共著『ドイツ・イデオロギー』では「意識が生活を規定するのではなく、生活が意識を規定する」（『［新訳］ドイツ・イデオロギー』新日本出版社、28頁）と変奏される理解でしょう。また、別の箇所でつぎのようにも述べています。

　　個人的に復讐したり、一般的にブルジョアが現在の社会関係のもとで個人的に現在とは違った行動をとることができると信ずることは、共産主義者には思いもよらないことである。（『状態』下、158頁）

　エンゲルスがここで示している、人間を抽象的に、あるいはたんに動物として理解するのではなく、階級という社会関係をとおして掴（つかま）えること、つまり、階階という概念装置をもちいることではじめて可能になる人間把握は、やはり『ドイツ・イデオロギー』では、尊敬していた先輩フォイエルバッハを批判しながら、つぎのように展開されます。「人間たちを、彼らの与えられた社会的連関のなかで把握せず、彼らを現にあるものにした彼らの当面の生活諸条件のもとで把握しないので、フォイエルバッハは、現実に存在する活動的な人間たちにはけっして到達せず、『人間というもの』といった抽象物にとどまったままであり、『現実的な、個人的な、肉体を備えた人間』を感覚のなかで認めるところにこぎつけるにすぎない」（『［新訳］ドイツ・イデオロギー』新日本出版社、33頁）。
　こうした人間理解は、さらに後年の『資本論』第1部の「序言」のつぎの一節と重なるものです。そこでは、「経済的諸カテゴリーの人格化」、「特定の階級的諸関係や利害の担い手」などのちょっと難しそうな言葉が並んでいますが、こう書かれています。

　　起こるかもしれない誤解を避けるために一言しておこう。私は、決して、資本家や土地所有者の姿態をバラ色に描いてはいない。そしてここで諸人格が問題になるのは、ただ彼らが経済的諸カテゴリーの人格化であり、特定の階級的諸関係や利害の担い手である限りにおいてである。経済的社会構成体の発展を一つの自然史的過程としてとらえる私の立場

は、他のどんな立場にもまして、個々人に諸関係の責任を負わせること
はできない。個人は主観的には諸関係をどんなに超越しようとも、社会
的には依然として諸関係の被造物なのである」（『資本論－第１分冊』新
日本出版社、12頁）。

　エンゲルスは、先の引用に続けて「イギリスの社会主義（つまり、共
産主義）は、個人には責任能力がないというまさにこの原理に立ってい
る」（強調点は原文。『状態』下巻、158頁）とも書いていますが、それと
同じことをマルクスはここでより精緻に述べていると理解してよいと思
います。

　たとえば、2015年にギリシャの急進左派政権の財務大臣を務めた経済
学者ヤニス・ヴァルファキスは『共産党宣言』の副読本として読んでも
面白い本の中で「機械を共同所有することで、機械が生み出す富をすべ
ての人に分配した方がいい。自分たちが生み出した機械の奴隷になるの
ではなく、すべての人がその人生の主人になれるような社会をつくるほ
かに道はない」（ヤニス・ヴァルファキス『父が娘に語る美しく、深く、壮
大で、とんでもなくわかりやすい経済の話。』ダイヤモンド社、168－9頁）
と述べています。

　マルクスに学んだヴァルファキスのこの主張にブルジョアジーが同意
できないのは、個々のブルジョアジーの知性や能力、性格の問題ではな
く（もちろん、そういう場合もあるけれど、それは本質ではなく）、個々の
ブルジョアジーが、プロレタリアートとブルジョアジーという二大階級
に分裂した資本主義社会の社会的「諸関係の被造物」であるからだ、と
理解されることになります。

　それは、プロレタリアートとブルジョアジーの利害の対立は、客観的
なもので、言葉でその対立を乗り越えたことにしたり、ことばでその対
立をないことにしたりすることはできない、ということです。だから、
エンゲルスはつぎのようにも記しています。

　　今日でも、労働者にたいして、一段と高い中立的な立場から、すべて

の階級対立や階級闘争を超越した社会主義を説く人びとがたくさんいる。
…中略… ｛そういう人々は：引用者補｝労働者の最悪の敵、羊の皮をか
ぶった狼なのである。（『状態』下、204頁）

　賃金が高いと会社が傾く、最低賃金の引き上げなどもってのほか、正
規と非正規の格差をなくせば日本がグローバル競争に負ける、という形
で今日も「階級対立や階級闘争を超越した」議論がきかれます（「階級
対立や階級闘争を超越した社会主義」については『共産党宣言』、『空想から
科学へ』にあたってください）。

　エンゲルスと同時代のイギリスの文豪チャールズ・ディケンズに、
『状態』より2年早く、1843年に出版された『クリスマス・キャロル』
という有名な小説があります。ストーリーは、個人主義者で自己責任論
者の冷酷な金貸しの主人公スクルージがクリスマス・イヴに幽霊と遭遇
するという神秘体験を経て改心して翌日クリスマスには慈善家に変身す
るというものです。

　しかしスクルージは、他者をかえりみない守銭奴の金貸しから慈善家
の金貸しに転身することはできましたが、その後も金貸しであり続けま
す。つまり、幽霊に諭（さと）されたくらいでは、すこしマイルドな性格に変わ
ることはできても、金貸しという経済的カテゴリーを脱ぎ捨てることは
できないというのは小説家としてのディケンズの冷徹な見識で、うがっ
た見方をすれば、ディケンズはむしろ当時慈善家と呼ばれていた人間の
本質を明らかにしたといえるかもしれません。そうだとするとディケン
ズのその見識ははからずも、エンゲルスとマルクスの上にみた、社会的
「諸関係の被造物」であることからついにまぬがれない人間という理解
の普遍性を証明する一例となっている、といえるでしょう。

おわりに

　紙幅の都合で、『状態』で述べられている労働運動についてはふれら
れませんでした。しかし、それはある意味で『状態』の一番面白いとこ

ろですから、読者が実際に『状態』を手にして読まれることをお勧めします。

　団結禁止法撤廃の前後におけるイギリスの労働運動の変化、また政治主義的なフランスの労働運動と経済主義的なイギリスの労働運動とを比較して、イギリスの労働運動の「ストライキにも勇気が必要であり、{フランスの労働運動の：引用者補} 反乱のための勇気以上の、いや、しばしばはるかに崇高な勇気と、大胆で、確固とした決意が必要なことは、いうまでもない」（『状態』下、60頁）という記述など、興味深い指摘が随所に見られます。

　その独習の際に、浜林正夫『イギリス労働運動史』（学習の友社）、浜林正夫『パブと労働組合』（新日本出版社）の2冊は、格好の案内人になってくれるでしょう。

　またご覧になった方も少なくないと思いますが、2018年に公開された映画『マルクス・エンゲルス』をぜひお薦めしたいと思います。2人の出会いから『共産党宣言』執筆に至る過程を生き生きと描いています。エンゲルスが『状態』を書いたもう1つの情熱的な動機も（ネタバレになるので敢えてふれません）。

　さらに良知力『マルクスと批判者群像』（平凡社ライブラリー）は1971年に出版されたものですが、映画の"解説本"として読むこともできるとても面白いものです。生きて躍動しているマルクスとエンゲルスを映画に引けをとらぬほど活写しているだけでなく、映画にも登場したワイトリング、プルードンらとの対立を経て、マルクスがマルクスになっていく過程をやはり『共産党宣言』執筆の時期まで扱っています。

　さて、青年エンゲルス（と青年マルクス）の書いたものは、いわば「若書き」で、それらは成熟した後年のマルクスとエンゲルスの書いたものに比べて「限界」がある、と言われることがあります。知的成長が青年期におわることは一般にないから、たしかにそういえる面があるにちがいないのですが、これから古典を読もうとするのなら、はじめから「限界」があるものと値引いてしまってはかえってソンです。

　本稿の「はじめに」で老エンゲルスの『状態』に対する自負を見まし

たが、マルクスも『状態』を高く評価し続けました。

　後年の「成熟した」マルクスは、『資本論』の第8章「労働日」で、「イギリスにおける大工業の発展から1845年までの期間については、私はところどころでふれるだけにとどめ、これについては読者にフリードリヒ・エンゲルス『イギリスにおける労働者階級の状態』ライプツィヒ、1845年を参照していただくことにする。エンゲルスが資本主義的生産様式の精神をどんなに深く把握したかについては1845年以来出版されている工場報告書、鉱山報告書などが示しており、また、彼がどんなにおどろくほど詳しくその状態を描き出したか」云々と述べているごとくです。同様に『状態』を評価する記述は『資本論』第13章「機械設備と大工業」にもあります。

　つまり、マルクスの読み方は──『状態』以外の文献を読むときもそうですが──いわゆる「限界」探しの読み方とは別のものです。

　また、『資本論』第4章「貨幣の資本への転化」では、「いわゆる必需欲求の範囲は、その充足の仕方と同様に、それ自身一つの歴史的産物であり、それゆえ、多くは一国の文化段階に依存するのであり、とりわけまた、本質的には、自由な労働者の階級がどのような条件の下で、それゆえどのような慣習と生活要求とをもって形成されたか、に依存するのである。したがって、労働力の価値規定は、他の商品の場合とは対照的に、歴史的かつ社会慣行的な一要素を含んでいる」と書かれています。

　デヴィッド・ハーヴェイは、「この文言の意味するところは、労働力の価値は階級闘争の歴史から独立しているのではないということである。さらに、『一国の文化水準』{『一国の文化段階』：引用者補}は、たとえばブルジョア的改良運動の強弱に応じて様々であろう」（デヴィッド・ハーヴェイ『〈資本論〉入門』作品社、162頁）と述べています。

　マルクスのこの考察と、それに対するハーヴェイの理解には、やはり『状態』ですでにつぎのように若きエンゲルスによって書かれていたことが貢献していたのではないかと思います。すなわち、「労働者の競争にはたった一つの限界がある──どんな労働者もその生存に必要な賃金以下では働かないであろう。…中略…もちろん、この限界は相対的なも

のである」、「アイルランド人がイングランド人と競争できないとか、イングランドの労働者の賃金や文明の程度を、しだいにアイルランド人の水準まで引き下げることはないとか、ということはありえない。ある種の労働は一定の文明のレベルを必要とするし、ほとんどすべての工業労働はこういう種類のものである。したがってこの場合には、ブルジョアジー自身の利益のためにも、労働者の賃金は彼がこの範囲内で暮らせる程度に高くなければならない」（『状態』上、124 − 5 頁）。

　ここまでいくつかふれてきましたが，このように『状態』におけるエンゲルスの洞察の射程は思われているよりも遥かに遠くにまで及んでいるように思われます。『状態』を読むことで24歳のエンゲルスと同じ地点に一旦立ち戻りながら，後年のエンゲルス（とマルクス）が書いたものを読んでゆけば，マルクス主義の発展史を追体験することにもなるでしょう。『状態』を社会科学入門というもう１つの理由です。

　おしまいに。ブルジョアである父親にハイティーンの頃から反抗しつつ，『状態』その他でもブルジョアとブルジョア社会を厳しく批判し続けたエンゲルスはそれでも父親のマンチェスターの工場で我慢して働き続け，マルクス一家を経済的に支えながら，やがてそこの支配人、つまりブルジョアになりました。マルクスの娘エリナは、1869年のある日、そのエンゲルスの最後の出勤日の様子をつぎのように書きとめています。

　　私は勝ちほこる「これが最後」をけっして忘れることはないであろう。
　その朝、最後の出勤をするために長靴をはきながら、エンゲルスは、
　「これで最後だ」と叫んだ。それから数時間後、彼の帰りを待ちながら、
　門の前にたたずんでいると、住まいのまえの原っぱの向こうから、帰っ
　てくる彼の姿が見えた。彼はステッキを宙に大きく振りふり、歌をうた
　いながら、満面に笑みをたたえていた。それから、私たちはテーブルの
　上に御馳走をならべ、シャンペンを抜いて、よろこびにひたった。当時
　私はまだ幼かったので、どうも合点がいかなかったが、いま考えると、
　思わず涙が出てくる。（『モールと将軍』大月書店、408 − 9 頁）

第3章

『共産党宣言』
——労働者階級と科学的理論の最初の結合

妹尾　典彦

はじめに

　『共産党宣言』——科学的社会主義の古典としては、『資本論』ととも
に最も有名な著作かもしれません。1848年２月、23ページのこのパンフ
レットは、初版百数十部だけ印刷されました。それがその後、全世界で
翻訳され、日本でも戦前の非合法出版も含め、これまで確認されている
だけで90種を超える翻訳が出されているといいます。最近書店で手に取
った岩波文庫版『共産党宣言』は「1951年12月10日第１刷発行、2020年
４月６日第104刷発行」となっていました。世代を超えて今も読み継が
れているのです。なぜこの本は、こんなに多くの人々の心を引きつける
のでしょうか。

　この本がコンパクトだということもあるでしょう。手にとって「読ん
でみよう」という気になりやすい。読み始めてみると、迫力と躍動感の
ある、しかも非常に密度の高い科学的な叙述が続き、ぐいぐい引き込ま
れます。それは、この本が書斎の中だけの研究で書かれたものではなく、
労働者階級解放のたたかいに直接必要不可欠なものとして、切実さをも

って書かれたという執筆の実践的目的が映し出されているといえるでしょう。

この小論では、この『共産党宣言』を、労働者階級と科学的理論の最初の結合という角度から読んでいこうと思います。

1 『共産党宣言』への道

（1）マルクス・エンゲルスの思想形成

『共産党宣言』は、マルクスとエンゲルスが共同で書いたものです（最初の23ページのパンフレットには著者名は記されていませんでした）。出版されたとき、マルクスは29歳、エンゲルスは27歳でした。若きマルクスとエンゲルスのそこにいたる思想形成を見ておきましょう。

マルクスもエンゲルスも、封建ドイツの中では資本主義が比較的発達していたライン地方の出身で、当時の進歩的知識人であった青年ヘーゲル派から出発します。しかし青年ヘーゲル派が、純粋理論的には政治的反動に敵対するのに、勤労人民の政治闘争には反対するのを見て、2人は青年ヘーゲル派から距離を置くようになります。

エンゲルスは紡績工場主の息子で、18歳で父の命によりブレーメンに商人の修業に出されたとき、「ヴッパータールだより」という論説を書き、雑誌に投稿しています。そこでエンゲルスは、故郷バルメンを含むヴッパータール地方で工場労働者がいかに惨めな状態に置かれているかを明らかにし、工場主の責任を告発するとともに、貧困な生活に耐えることを説く宗教を批判しました。

1842年にはイギリスのマンチェスターにある父親が共同経営していた紡績工場で働くようになります。労働者の悲惨な状態に関心をもっていたエンゲルスは、アイルランド出身の労働者娘メアリー・バーンズと知り合い共同生活しながら、マンチェスターの労働者地区を歩き回り、多くの労働者と交流します。

マルクスも、『ライン新聞』で革命的民主主義者として健筆をふるいましたが、反動政府による弾圧のため『ライン新聞』を去り、1843年に

はパリに出て労働者と直接接触し、労働者の集会にも参加しています。1844年にパリで2人が出会ったときには、すべての理論問題で意見が一致していることを確認し合い、生涯の盟友となりました。

（2）労働者階級をどう見るか

　当時、進歩的なヒューマニズムに立つ思想家たちは、労働者階級を「苦しんでいる階級」、「救済すべき階級」としてしか見ていませんでした。労働者と交流し、労働者階級の高い道徳的資質に信頼を寄せていたマルクスとエンゲルスは、労働者階級が自らを解放する階級として急速に成長していくことに確信を深めていました。

　1844年にマルクスの発表した「ヘーゲル法哲学批判序説」では、「ドイツの解放の積極的可能性はどこにあるのか？」と問うて、その解答はプロレタリアート（＝労働者階級）だと答え、科学的理論とプロレタリアートの結合こそが解放の現実の力となると述べています（岩波文庫『ユダヤ人問題によせて／ヘーゲル法哲学批判序説』85〜96頁）。

　エンゲルスも1845年に発表した『イギリスにおける労働者階級の状態』の中で、非人間的な状態に落とされた労働者階級がどのように成長・発展し、未来を自分たちのものにすることができるかを、事実をもって明らかにしました。エンゲルスは、労働者の家々を訪ねて調査した結果もふまえて、労働者の生活状態、居住環境、職場の実態などを生々しく描写しています。そのなかでくっきりと浮かび上がってくるのは労働者の怒りです。怒りを原動力に成長する労働者階級が、知的にも発達し、忍耐・勇気・英知・熟慮を発揮した大闘争に立ち上がっていくことにエンゲルスは注目しています。

（3）当時の労働運動の発展

　マルクスとエンゲルスの科学的理論は、一方的に労働運動のなかに持ち込まれたわけではありませんでした。すでに労働運動の発展のなかで科学的理論を必要とする状況が生まれていました。

　エンゲルスは1885年に書いた「共産主義者同盟の歴史によせて」のな

かで、労働運動と科学的理論との結合の経過をまとめています。

　1836年、当初パリでドイツ人亡命者たちがつくった陰謀団的な秘密結社だった正義者同盟は、徐々に国際的な性格を獲得し、武装蜂起だのみの一揆主義を脱し、ドイツの労働者階級のなかに根をおろしていきました。まだ「平等」と「友愛」と「正義」を主張する粗野な労働者共産主義ではありましたが、ヴァイトリングの理論をもつプロレタリアートの運動となっていきます。エンゲルスは、1843年にロンドンで出会った3人の正義者同盟の活動家、カール・シャッパー、ハインリヒ・バウアー、ヨーゼフ・モルのことを「私が見た最初の革命的プロレタリア」で、考え方はかけ離れていたが「この3人の真の人間からうけた堂々たる印象を、けっして忘れることはないだろう」と感動をもって回想しています。そして、当時のマルクスの言葉を引いて、まだ科学的とは言えなかったヴァイトリングの理論を「プロレタリアートのこの巨大な子供靴」と、ブルジョアジー（＝資本家階級）の理論よりはるかに優れていたと評価し、「このシンデレラがいまに力士の姿になると予言せざるをえない」と、労働者階級が必ず巨大な力をもつ存在に成長・発展すると確信していたことを述べています。

　その後、1845年2月から1846年1月にかけて、正義者同盟のロンドンの指導者たちのなかで、ヴァイトリングも交えて徹底した討論が行われ、はっきりとヴァイトリングの労働者共産主義では労働者階級の解放は不可能であるという結論を出すにいたります。民衆のあいだに資本主義が永遠であるという幻想がひろげられているなかで、「平等」の要求を声高に叫ぶだけでは資本主義を変革することはできないこと、科学的理論が必要であるということが共通の認識になっていくのです。そして、マルクス・エンゲルスの新しい理論がだんだん受け入れられるようになっていきます。

2　労働者階級と科学的理論との結合

（1）共産主義者同盟第1回大会とエンゲルスの貢献

　1847年春に、あらためて勧められてマルクスとエンゲルスは正義者同盟に加入します。1847年6月に正義者同盟の大会（共産主義者同盟第1回大会）が開かれ、エンゲルスが参加しました。同盟の名称は共産主義者同盟と改められ、陰謀団時代の名残は清算され民主的な組織に一新されます。大会は、「規約草案」と綱領草案である「共産主義的信条表明草案」を採択し、同盟組織全体に討議をよびかけます。

　2つの草案は、大会の討議でのエンゲルスの奮闘でマルクスとエンゲルスの見解がベースとなっていましたが、古い考え方にもとづく表現も残っていました。大会後の地方組織での「草案」討議のなかで、マルクスとエンゲルスの見解への理解がさらに広がっていきます。小ブルジョア社会主義者プルードンと真正社会主義者グリューンの影響の強かったパリの地方組織では、エンゲルスが論陣を張り、地区指導部の要請でエンゲルスが綱領草案改訂案を書きます。『共産主義の原理』がそれです。

　エンゲルスの『共産主義の原理』は、綱領草案「共産主義的信条表明草案」を踏襲して当時の秘密結社によくみられた問答形式をとっていますが、マルクスとともに仕上げた史的唯物論の立場から、プロレタリアートの発生、プロレタリアートとブルジョアジーとの対立の発展、共産主義者の政策などを首尾一貫した形で展開していました。しかしエンゲルスは、問答形式に縛られることに限界を痛感したようで、第2回大会の直前、マルクスに次のように書き送っています。

　　——信条（＝綱領草案）のことをもう少し考えてくれたまえ。僕は、問答形式をやめて、それを共産党宣言という題にするのがいちばんいいと思う。そのなかでは多少とも歴史を述べなければならないのだから、これまでの形式ではまったく不適当だ。（『マルクス・エンゲルス全集』第27巻100〜101頁）

第2回大会では、エンゲルスの提案が受け入れられて、共産主義者同

盟の綱領は「共産党宣言」となり、エンゲルスの『共産主義の原理』は
その内容的な下敷きとなります。

（2）共産主義者同盟第2回大会と『共産党宣言』

　1847年11月末から12月初めにかけて共産主義者同盟第2回大会が行わ
れ、エンゲルスとともにマルクスも参加し、非常に長い議論が行われま
す。その結果、すべての異議や疑問は取りのぞかれ、新しい原則が満場
一致で採用されます。「規約草案」では不明確だった同盟の目的も、規
約第1条で「ブルジョアジーを打倒し、プロレタリアートの支配を打ち
立て、階級対立にもとづく古いブルジョア社会を廃止し、階級もなく、
私的所有もない新しい社会を建設することにある」とされました。そし
て綱領にあたる「宣言」の起草がマルクスとエンゲルスの2人に委託さ
れました。1848年2月に『共産党宣言』として発表されたこの宣言は、
科学的社会主義の理論の「最初の仕上げ」といわれるように、科学的社
会主義理論の初めてのまとまった叙述となりました。以前の同盟のスロ
ーガンは、人間の平等・友愛を強調する「人はみな兄弟である」でした。
それに代わって、『共産党宣言』の最後には「万国のプロレタリア団結
せよ！」と書き込まれました。「人間一般」ではなくプロレタリアート
こそが、たたかって資本主義社会を変革する歴史的使命をもっているこ
とを表明したのです。科学的社会主義と労働運動がここにしっかりと結
びついたのです。

3　『共産党宣言』が明らかにしたこと

序文など──なぜ「共産党宣言」か

　では、いよいよ『共産党宣言』そのものに入ります。最初に序文の中
でこの「宣言」の名称について述べているところに注目しておきましょ
う。
　現在では、「社会主義」と「共産主義」は同じ未来社会を表現する言
葉として使われています。しかし、『共産党宣言』の書かれた1847〜48

年当時、社会主義をめざす運動と共産主義をめざす運動とは、性格のまったく違う運動でした。

「1888年英語版序文」では（「1890年ドイツ語版序文」でも）、「『宣言』が書かれたときに、われわれがそれを社会主義宣言と呼ぶということはありえなかったであろう」（19〜20頁）とエンゲルスは述べています。当時「社会主義者」とは、ロバート・オウエンやフーリエを信奉する一種の宗派のようになっていた空想的社会主義者か、資本主義をそのままにして若干の社会改良を主張する「社会的やぶ医者」のことだったからです。これらの「社会主義者」たちは、労働者階級の運動の外にあって、むしろ「教養のある階級」である支配階級に支持者を探し求めていました。

労働者階級の中で、資本主義社会自体の変革の必要を宣言していた人々は、自らを「共産主義者」と呼んでいました。「それは、粗野で、荒けずりの、純粋に本能的な種類の共産主義」でしたが、ヴァイトリングのように労働者階級の中で一定の影響力をもっていました。つまり当時、「社会主義」は資本家階級の運動であり、「共産主義」は労働者階級の運動だったのです。エンゲルスは、「社会主義」は「お上品なもの（尊敬すべきもの）」であり、「共産主義」は「その正反対のもの」だったと皮肉っています。

マルクス・エンゲルスの立場は、最初から断固として「労働者階級の解放は労働者階級自身の事業でなければならない」ということでしたから、2つのうちどちらを選ばなければならないかについては、疑問の余地なく「共産主義」に決まっていました。

また、本文の冒頭は有名な一文です。「一つの妖怪がヨーロッパを歩き回っている——共産主義という妖怪が」（47頁）。「妖怪」とは、得体の知れない恐ろしいものということです。

『共産党宣言』は共産主義者同盟の綱領ですが、同盟内部のたんなる意思統一文書ではありません。当時のヨーロッパの支配階級にとって共産主義が、すでに無視できない恐るべき勢力となっており、だからこそ反共デマ宣伝が行われていました。そのなかで、共産主義者が自ら「共

産主義とは何か」を体系的にまとまった形で明確にし、何より労働者階級に向けて宣言することがもとめられていたのです。

（1）ブルジョアとプロレタリア

すべての社会の歴史は階級闘争の歴史

「Ⅰ　ブルジョアとプロレタリア」の冒頭も有名です。「これまでのすべての社会の歴史は階級闘争の歴史である」（48頁）。階級社会の歴史は、奴隷制では自由民と奴隷、貴族と平民、封建制では領主と農奴、同職組合の親方と職人など、抑圧する者とされる者との階級闘争によって進められてきました。

この「Ⅰ」では、マルクスとエンゲルスが1845〜46年に共同で書いた『ドイツ・イデオロギー』（出版はされなかったのですが）で確立した史的唯物論の立場に立って、資本主義社会の発生・発展と階級闘争の歴史が概括されています。その冒頭で、社会発展の原動力が階級闘争であることを鮮明に打ち出しています。いきなり目の覚めるような書き出しです。

そして、これまでの階級社会では複雑な身分や階層などがありましたが、ブルジョア社会＝資本主義社会は、階級対立をブルジョアジーとプロレタリアートという単純なものにしたことが述べられています。

ブルジョアジーの発展

『共産党宣言』は、弁証法的唯物論、史的唯物論の立場に立って書かれています。したがって、「こうあってほしい」というような「理想」や「願望」から出発するのではなく、厳然とした「事実」から出発します。資本主義の変革をめざしますが、資本主義は「悪」だから打倒しなければならないという単純な「正義の味方」論ではないのです。歴史的に、資本主義の積極的側面やブルジョアジーの果たした積極的役割も正面からとらえながら、そのなかから資本主義の没落の必然性と未来社会の方向を明らかにしていきます。

まず封建制のなかでどのようにブルジョアジーが発展していくかが述

べられています。中世封建制のもとで農奴のなかからブルジョアジーの最初の要素が発展したこと、アメリカ大陸の発見やアフリカ南端経由のインド航路の発見などによって世界市場が拡大するなかでマニュファクチュア（工場制手工業）という形で資本主義的生産が発展したこと、さらに産業革命によって近代的な機械制大工業が現れ、近代的ブルジョアジーが発展したことが述べられます。そして、ブルジョアジーが政治的な力を持ち始め、今や「近代的国家権力は、ブルジョア階級全体の共同の諸事務を管理する一委員会にすぎない」（52頁）と、ブルジョアジーが政治権力を握ったことを歴史的に解明し、近代のブルジョアジー自体が長い歴史的発展の産物であり、封建社会を変革してきたことを明らかにしています。

ブルジョアジーの革命的役割

　ブルジョアジーの歴史的な発展を明らかにしたうえで、こう述べています。「ブルジョアジーは、歴史においてきわめて革命的な役割を演じた」（52頁）。ブルジョアジーは、封建制のもとで身分に縛りつけられていた人格的従属関係を打ち破り、生産を絶え間なく変革し、巨大な生産力をつくりだしました。世界市場の開拓により世界は1つに結ばれ、工業地域に巨大都市をつくりだし、政治的な中央集権がもたらされました。
　このように『共産党宣言』は、打倒すべきブルジョアジーが歴史のうえで間違いなく「革命的役割」を果たしてきたことを高く評価します。しかしブルジョアジーを、このようにリアルに科学的に見ることは、実はブルジョアジーの没落を科学的に予見することでもあったのです。

生産力と生産関係の矛盾が社会発展の原動力

　ブルジョアジーが形成される基礎となった生産力は封建社会の中で発展してきたものですが、封建社会の生産関係は、発達した生産力にはもはや照応しなくなっていました。「それらの諸関係は、生産を促進する代わりに阻害した。……それらは爆破されねばならなかったし、爆破された」（57〜58頁）。封建社会の生産関係は、資本主義的な生産関係に取

って代わられました。そして、ブルジョアジーの経済的・政治的支配が現れたのでした。

『共産党宣言』の書かれた時期、産業革命を経て、資本主義は本格的に発展しつつありました。今から考えると資本主義のほんの初期にすぎなかったといえるでしょうが、すでに経済恐慌が周期的に起こり、モノを作りすぎたために、労働者は首を切られモノを買えないという不合理が目の前で起きていました。

『共産党宣言』はここに、封建社会のもとでの生産力の発展が封建的な生産関係との矛盾を深め、ついにブルジョアジーがこれを爆破して資本主義的な生産関係に取って代えたのと同じ運動を見ます。「巨大な生産手段および交易手段を魔法で呼び出した近代ブルジョア社会は、自分が魔法で呼び出した地下の魔力をもはや制御することができなくなった魔法使いに似ている」（58頁）。これはゲーテの詩『魔法使いの弟子』を念頭においた一文です。魔法使いの師匠に留守の間の雑用を言いつけられた見習いの弟子が、水汲みの仕事に飽き飽きして、箒に魔法をかけて自分の代わりに水汲みをさせます。ところが弟子は、箒の動きを止める呪文を忘れてしまい、箒を真っ二つに割ると割れた２本ともがますます速く水汲みをして、家中水浸しになってしまうという話です。資本主義のもとで、生産力が制御できないまでに発展してしまい、過剰生産恐慌を繰り返すところまで、生産関係が障害になってしまっているというわけです。

資本の発展にともなうプロレタリアートの運命

プロレタリアートは、資本の発展に依存しています。労働者は、資本が必要とする間だけしか仕事にありつくことはできず、市場の変動にさらされています。機械制大工業の発展につれて、労働者は独立性を失い、機械の付属物になっていきます。労働は単調で不快なものになり、賃金は引き下げられ、長時間・過密労働が強制されます。労働者は資本家の専制のもとにおかれる奴隷となり、さらに女性や児童も搾取のもとにおかれます。工場主に搾取されるだけでなく、賃金支払日には、家主やツ

ケで買っていた商店の小売商人や質屋が労働者に襲いかかります。また、資本主義が発展するにつれて、小工業者、小商人、小金利生活者、手工業者、農民などは資本家との競争に破れ、プロレタリアートに転落します。プロレタリアートはあらゆる階級から補充され拡大していきます。

プロレタリアートの闘争の発展

　プロレタリアートの階級としての発展はさまざまな段階を経過しますが、「ブルジョアジーにたいするプロレタリアートの闘争は、その存在とともにはじまる」（62頁）と、労働者階級は誕生とともに資本家とたたかいはじめたことを力強く言明します。

　「はじめには個々の労働者が、つぎには一工場の労働者が、そのつぎには一つの地域の一労働部門の労働者が、彼らを直接に搾取する個々のブルジョアにたいしてたたかう」（62頁）。この段階では個々の工場主にたいするたたかいですが、それでも労働者の団結は孤立したものから徐々にひろがっていきます。

　「産業の発展とともに、プロレタリアートは数を増すだけではない。それはいっそう大きな集団に結集され、その力は増大して、プロレタリアートはますます自分の力を感ずるようになる」（63頁）。労働者の生活状態は、だれもが同じようにますます低い水準に引き下げられていきます。「個々の労働者とブルジョアとのあいだの諸衝突は、ますます二つの階級のあいだの諸衝突という性格をおびてくる」（64頁）。労働者は労働組合をつくって、ブルジョアに対抗するようになります。

　「ときには労働者たちは勝つこともあるが、それはただ一時的でしかない。彼らの闘争の本来の成果は、直接の成功ではなくて、労働者たちがますます広く自分のまわりにひろげていく団結である」（64頁）。マルクスとエンゲルスの眼は、直接の成果だけでなく、むしろ労働者の階級としての成長に向けられています。

　「労働者たちの団結は、大工業が生み出して、種々の地方の労働者たちを互いに結びつける交通手段の増大によって促進される」（64頁）。資本主義が生み出した鉄道が、労働者の全国的な団結を可能にするのです。

現代のSNSが「市民と野党の共闘」の発展に大きな役割を果たしていることを想起させる一文です。

　団結が、多くの地方的闘争を1つの全国的闘争、1つの階級闘争に集中していきます。「あらゆる階級闘争は政治闘争である」（64頁）。ここでいう「階級闘争」は、全国的に全プロレタリアートと全ブルジョアジーとが対決するようなたたかいのことです。労働者階級はついに全国的な団結をもって、全資本家階級と対決するようになりました。このような闘争は、政治的な性格をもたざるをえません。

　プロレタリアートは、ついに自分たちを政党に組織するようになります。その過程は決してまっすぐに進行することはありませんが、打ち砕かれても打ち砕かれても、いっそう力強く強固なものとなって復活します。

プロレタリアートの中に教養の要素が供給される

　このようにプロレタリアートの闘争の発展を展開したうえで、『共産党宣言』は労働者階級の成長にとって「教養の要素」が特別重要であることにふれています。

　ブルジョアジーは封建制とのたたかいなどのなかで、プロレタリアートを利用するために教養の要素を供給します。例えばブルジョアジーが封建制とたたかうとき、「自由」や「民主主義」を掲げて、プロレタリアートにいっしょにたたかうよう呼びかけるのです。それは、プロレタリアートに、たとえブルジョア的なものであっても「民主主義思想」を供給することになります。

　また資本主義の発展にともなって、支配階級の一部が没落してプロレタリアートの中に入っていきます。この人々も、プロレタリアートに教養の要素を供給します。

　そして最後に、「歴史的運動全体を理論的に理解するまでに向上してきたブルジョア思想家の一部が、プロレタリアートの側に移行する」（66頁）とされます。その典型が、この『共産党宣言』を書いているマルクス・エンゲルスたちだったといえるでしょう。こうして、労働者階

級は科学的理論と結びついたのです。政党としては、共産党の誕生です。

プロレタリアートこそが未来のある革命的階級

　ここまで労働者階級の成長・発展を述べてきたうえで、「こんにちブルジョアジーに対立しているすべての階級のうち、ただプロレタリアートだけが真に革命的な階級である。他の諸階級は大工業とともに零落して没落し、プロレタリアートは大工業のもっとも固有な産物である」（66頁）と、あらためて労働者階級は、機械制大工業とともに発展する未来ある革命的階級であることを確認し、さらにプロレタリアートの闘争の革命的性格を述べます。

　「これまでのすべての運動は、少数者の運動であったか、または少数者の利益のための運動であった。プロレタリア的運動は、膨大な多数者の利益のための膨大な多数者の自立的運動である」（68頁）。その大多数の労働者階級が、ブルジョアジーの支配のもとでは資本主義が発展すればするほど貧困化していきます。プロレタリアートの闘争は、いまや革命によってブルジョアジーの支配を打ち破って自らの支配をうち立てるところまで来ていると言明します。

　『共産党宣言』は、このように史的唯物論の立場に立って、資本主義の発生と発展、プロレタリアートの成長・発展を述べたうえで、「I」の最後を、「ブルジョアジーは、なによりもまず、自分自身の墓掘り人をつくりだす。ブルジョアジーの没落およびプロレタリアートの勝利は、ともに避けられない」（70頁）と結んでいます。

（2）プロレタリアと共産主義者

共産主義者と一般のプロレタリアートとの関係

　労働者階級は誕生とともに資本家とたたかいはじめ、そのたたかいはついには全国的な労働者階級と資本家階級との対決にまで発展します。労働者階級は科学的な理論と結びついた自らの政党＝共産党を組織するところまで成長します。

その共産党というものは、あるいはその構成員である共産主義者は、一般のプロレタリアートにたいしてどういう関係にあるのでしょうか。

　「Ⅱ　プロレタリアと共産主義者」は冒頭、「共産主義者は、他の労働者諸党に対立する特殊な党ではない」「彼らは、プロレタリアート全体の利害から切り離された利害をもたない」「彼らは、プロレタリア的運動をその型にはめこもうとする特殊な諸原則をもたない」（71頁）とたたみかけます。

　つまり共産主義者は、その党独自の党派的な利害をもっておらず、ただただ客観的な労働者階級の利害をそのまま代表するだけだというのです。

　さらにこう言います。「共産主義者が他のプロレタリア的諸党から区別されるのは、ただ、彼らが一方では、プロレタリアの種々の国民的闘争において、プロレタリアート総体の共通で国民性から独立した利害を強調し、かつ主張するということによって、他方で彼らが、プロレタリアートとブルジョアジーとのあいだの闘争が通過する種々の発展段階において、つねに運動総体の利益を代表するということによってだけである」（71〜72頁）。

　つまり共産主義者は、民族の別にかかわらない国際的なプロレタリアート全体の利益を代表し、闘争のさまざまな発展段階を通して一貫してプロレタリアート運動全体の利益を代表するということでだけ、他の労働者を構成員とする政党とは区別されるというのです。それは、科学の力によってプロレタリアート全体の利益は何かをつかんでいるからです。

　したがって「共産主義者は、実践的には、すべての国々の労働者諸党のもっとも断固とした、絶えず推進していく部分であり、理論的には、共産主義者は、プロレタリア的運動の諸条件、経過および一般的諸結果にたいする見通しを、プロレタリアートの他の大衆よりすぐれてもっている」（72頁）と言います。科学的な理論と結びついているがゆえに、不屈に先頭に立って、未来への展望をもって進むことができるのが、共産主義者だということです。

共産主義者の当面の目的と最終目的

　続けて、共産主義者が何をめざしているかを明らかにします。

　「共産主義者の当面の目的は、すべての他のプロレタリア的諸党の目的と同一である。すなわち、プロレタリアートの階級への形成、ブルジョアジー支配の転覆、プロレタリアートによる政治的権力の獲得である」（72頁）。労働者階級を構成員とする政党である限り、労働者階級の組織化、政治的権力の獲得をめざすのは、他の労働者政党と変わりない。しかし肝心なことは、政治的権力を獲得してから何をめざすのかです。

　共産主義者がめざすことは、決して思いつきではありません。それは、現に目の前で行われている階級闘争のおおもとに何があるかを現したものです。労働者が搾取と貧困にたいしてたたかっているおおもとには、生産手段を資本家が独占し労働者を搾取するという資本主義的な私的所有があるのです。この「ブルジョア的私的所有」は、人類の歴史のうえで「私的所有」の最後で完全な表現ですから、「共産主義者は、自分の理論を一つの表現で総括することができる——私的所有の廃止」（73頁）と。

反共攻撃への反撃と社会変革の思想

　共産主義者は、資本主義社会のおおもとをとらえているがゆえに、ブルジョアジーからは恐れられ、徹底した反共攻撃を受けます。「Ⅱ　プロレタリアと共産主義者」では、ブルジョアジーのかけてくるさまざまな反共攻撃を正面からとらえて反撃しています。ブルジョアジーの攻撃が、いかに表面的で狭い視野しかもっていないか、いかに利己的でお粗末なものであるかが明らかにされていきます。

　ここでは、思想の階級性についての叙述を見ておきましょう。「ある時代の支配的な思想は、いつでも支配階級の思想にすぎなかった」（82頁）。人間の意識の根底には、現実の人間の生活諸関係があります。資本主義的な生活関係の中では、資本主義を当たり前とする支配階級の意識がひろがっているのは当然です。社会を変革する階級は、その状態を出発点として、資本主義の現実を根本から問い直す科学的な理論を身に

つける必要があります。それは、当然社会一般にひろがっている支配階級の思想と衝突することがあるでしょう。しかし、社会を変革する思想というものは、決して思いつきでできたものではありません。それは、すでに古い社会の内部で、古い生活諸関係の解体が進みつつあり、それにともなって古い思想の解体が進み、新しい社会の要素が形成されつつあることの現れなのです。

労働者革命と未来社会

　共産主義者の目的のところで述べたように、「労働者革命における第一歩は、プロレタリアートを支配階級に高めること、民主主義をたたかいとることである」(84頁)。プロレタリアートはその政治的支配を利用して生産手段の社会化を進めます。革命の発展のなかで、階級が消滅し、階級抑圧のための政治的権力も廃止されることになっていきます。

　「Ⅱ」の最後の一文は、未来社会をみごとに表現しています。「階級および階級対立をもつ古いブルジョア的社会の代わりに、各人の自由な発展が、万人の自由な発展のための条件である連合体が現れる」(86頁)。

（3）万国のプロレタリア団結せよ！

現在の共同行動のなかで未来を代表する

　「Ⅱ」で述べられたように、共産主義者は独自の党派的な利害はもたず、労働者階級の根本的利益を代表します。その当然の帰結として「共産主義者は、労働者階級の直接に目前にある諸目的および利益の達成のためにたたかうが、彼らは、現在の運動において同時に運動の未来を代表する」(106頁)。当面の利益のためにいっしょにたたかえる党派と手を携えて行動しますが、その共同行動のなかでも、労働者階級全体の解放という未来をつねに忘れることはありません。労働者の階級的自覚を高める努力を一貫してすすめ、労働者階級が主体的に社会変革をたたかう階級に成長・発展することを追求します。

　共産主義者は、最も原則的に未来を展望しているからこそ、最も柔軟

に共同できます。その共同のなかでも、けっして主張を曲げたり隠したりするのではなく、主張は明確にし未来を展望しながら、いま当面何をなすべきかを明確にして、誠実に共同する。徹底して原則的であるからこそ、当面の問題で最も柔軟にふるまえるし、つねに運動の未来を代表することができるということでしょう。今日の「市民と野党の共闘」の発展の経過を見てもそういえるでしょう。

現代の私たちへの呼びかけ

　最後です。「共産主義者は、自分の見解および意図を秘密にすることを恥とする。共産主義者は、これまでのすべての社会秩序の強力的転覆によってのみ、自分の目的が達せられることを、公然と宣言する。支配諸階級は、共産主義的革命におそれおののくがよい。プロレタリアは、共産主義的革命において、自分の鎖のほかに失うものはなにもない。彼らが得るべきものは一つの世界である。／万国のプロレタリア、団結せよ！」（109頁）。

　人民が選挙によって権限ある議会を選ぶことができなかった当時の時代背景もあって、「社会秩序の強力的転覆によってのみ」という表現になっていますが、『共産党宣言』執筆当時からマルクスもエンゲルスも平和的な革命をのぞましいものと考えていましたし、時代の進展にともない彼らの「議会の多数を得ての革命」路線の探究が進みます。

　労働者階級が、資本主義にたいする幻想を断ち切って、労働者階級として団結すること、国や民族を超えて国際的に団結することが、支配階級をおそれおののかせることになるのです。『共産党宣言』は労働者階級に、共産主義者の科学的な見解を明らかにしたうえで、団結を呼びかけているのです。

　『共産党宣言』から27年後、1875年にエンゲルスは「『ドイツ農民戦争』1870年版の序文への追記」の中で、活動家に対して「社会主義が科学となったからには、やはり科学としてこれを扱わなければならないこと、すなわち研究しなければならないこと」に注意を喚起し、その理論を労働者階級の中に広げることが重要だと強調しています（新日本出版

社古典選書『多数者革命』60頁）。

　エンゲルスたちの立場は一貫していました。資本主義の変革は、労働者階級の成長・発展によって成し遂げられるものであり、そのためには労働者階級と科学的理論の結合が不可欠です。『共産党宣言』の呼びかけは、現代の私たちにも向けられています。

第4章

労働が人間をつくった
──「サルがヒトになることに労働は どう関与したか」を読む

村本 敏

はじめに

　「サルがヒトになることに労働はどう関与したか」は、エンゲルスの
『自然弁証法』に収められている小稿です。ながらく「猿が人間になる
についての労働の役割」(「国民文庫」)という表題で知られてきました。
これは科学的社会主義への入門書として、同じエンゲルスの『空想から
科学への社会主義の発展』に次いで、もっともよく読まれてきた古典の
1つでしょう。

　「サルからヒトへ」は(『空想から科学へ』にならって、こう略称しま
す)もともとエンゲルスが計画していた著作『隷属の三つの基本形態』
(奴隷制、農奴制、賃労働制のこと)の「序論」として1876年なかば、い
まからほぼ150年前に書かれました。

　序論「サルからヒトへ」は、「労働」が「自然とならんで」「富の源
泉」だ、という指摘から始まります。すなわち「自然が労働に材料を提
供し、これを労働が富に変える」というのです。そして、さらにつけ加
えて「しかし、労働はなお限りなくそれ以上のものである」。なぜなら

「労働は、人間生活全体の第1の基本条件であり、しかも労働が人間そのものを創造した、とある意味では言わなければならないほどに基本的な条件」だ（『自然の弁証法〈抄〉』秋間実訳、新日本出版社、51頁）と述べます。このあと、エンゲルスの叙述は、労働がヒトの進化にはたした役割をめぐって展開されていきます。

　進化思想は19世紀前半には地質学や生物学などの進歩を背景に急成長しました。やがてダーウィン（1809〜82、英）の『種の起原』（1859）、『人間の由来』（1871）、ヘッケル（1834〜1919、独）の『自然創造史』（1868）などが出版され、人間は神が創造した特別の知的・精神的存在なのか（創造説）、それとも自然進化の産物なのかをめぐり激論がたたかわされることになります。人間がサルから進化したという先進的な考えは、いわば当時の危険思想でした。

　エンゲルスはダーウィンの『種の起原』が出版されると、すぐこれを読んで、マルクスに次のように書き送っています。「いまちょうどダーウィンを読んでいるが、これはなかなかたいしたものだ。『目的論』はこれまである一面［生物界］にたいしてまだうちこわされていなかったが、これがいまなしとげられた。」（『全集』第29巻409頁）　＊［　　］内は執筆者による補足です、以下同じ。

　その1年後、マルクスもラサール宛の手紙のなかで『種の起原』によって「はじめて、自然科学のなかの『目的論』が、致命的な打撃を受けた」と書いています（同、第30巻467頁）。

　のちにエンゲルスは『空想から科学への社会主義の発展』（1880年）のなかでダーウィンについて「彼は、今日の生物界全体が、植物も動物も、したがってまた人間も、幾百万年にわたってひきつづいた発展過程［進化］の産物であることを証明することによって、形而上学的自然観にもっとも強力な打撃をあたえた」と高く評価しました（石田精一訳、新日本出版社、53頁）。

1　「サルからヒトへ」の概要

　この章では、エンゲルスの考察にもとづいて、サルからヒトへの歩み
をたどります。かれはまず「人間に似たサルの一種族」[類人猿]がヒ
トへ移行（進化）したこと、そしてこの「決定的に重要な一歩」が直立
二足歩行によって「踏み出された」（51頁）ことを指摘します。

　いまでは、ヒトへの進化が脳ではなく足から始まったことは常識です。
しかし、これは、当時、というよりほぼ20世紀なかばまで、通説とはな
っていなかったのです。その隠れた理由は後述することにし（第2項）、
ここでは1924年に南アフリカで発見された最初の猿人化石が、猿人では
なく「南の（アウストラロ）猿（ピテクス）」と名づけられたことを証拠
としてあげておきます。当時の学会では、サルのヒトへの移行は、まず
頭部の拡大から始まり、ついで2足歩行に及ぶ、と考えられていました
(注1)。そこで、チンパンジーとさほど変わらない猿人化石（脳容量は
400〜500cc、現生人類のほぼ3分の1）を見て、とても人とは考えられな
かったわけです。

　2足歩行とは、前足が歩行の機能から解放され、手になることです。
もちろんサルや類人猿においても前足はさかんに手として使われます。
エンゲルスはこう書いています。「手は木のぼりの時に足とは別のしか
たで使われる。手はとりわけ食物を摘みとったりしっかり持ったりする
のに用いられる」（53頁）。いまなら、これにアリ釣りや他の道具使用の
事例をつけ加えることができます。「しかし、まさにこの局面で、人間
にもっともよく似たサルにあってさえその未発達の手が、何十万年かの
労働によって高度にきたえあげられた人間の手とどれほど大きくかけは
なれているか、これが明らかになってくる。」（53頁）というのは「手は、
労働の器官であるばかりではない。手は、労働がつくりだした産物でも
ある」（54頁）から。

　エンゲルスが「労働が人間そのものを創造した」というとき、労働は
まず、そしておもに「道具の製作」（58頁）を、人間は手を意味します。

『自然弁証法』の序論に「手の特殊化——それは道具を意味し、そして道具は、人間に特有の活動、自然にたいする人間の変革的な反作用、つまり、生産を意味する」（25頁）とあります。人間がただ生存するためにも日々やっている「自然にたいする人間の変革的な」活動、この「生産」という新しい環境への身体的適応としての「器用」で「柔軟」な手の獲得。「ラファエロの絵画・トルバルセンの彫刻・パガニーニの音楽を…世に生み出す」手は、その文明的達成として理解することができるのです。

　つづいてエンゲルスは「言語は労働から、また労働とともに生まれた」（55頁）と述べ、これを３つの側面から説明します。
　①手と労働の発達は「これまで知られていなかった」自然物の「新しい諸特性をたえず発見し」「ヒトの視野を拡大していった。」
　②「労働の発達のおかげで、必然的に、社会の諸成員が互いにいっそう緊密に結びつけられることになった。」もともとヒトの祖先は「群生的であった」が、「労働の発達によって、相互援助の、共同で行なう協働の、機会がふえ、各個体にとってこの協働は有用だという意識がはっきりしてきた」。つまり「生成途上のヒトは」労働と生活のなかで「互いに伝えあわなければならないこと」がふえ、しかも「音節をもった言語」なしには「これを伝えあうことができ」ないという状況におかれたのです。
　③そして「この必要に駆られて、それをみたす器官ができ」、ついには「区切られた字句を一音ずつつぎつぎに発音する」（55頁）ヒトの言語が成立した、というのです。
　むろん鳥やサルでも音声を用いてコミュニケーションをします。ヒトの祖先もまた労働以前から同様なコミュニケーションをかわしていたにちがいありません。しかし、やがて労働の発達により拡充した意識を「音節をもった言語」によって表わし、豊かな意味を伝えあうようになったのです。
　ここまでの叙述をエンゲルスは、こうまとめます…「いちばんはじめ

に労働［道具の製作］、その後に、そしてこんどは労働とともに、言語
──この二つが本質的にもっとも重要な推進力となって、その影響のも
とにサルの脳は…ヒトの脳へしだいに移行していった」（56頁）。この脳
の発達は、「諸感覚の発達」「意識と抽象および推理の能力の発達」（57
頁）をみちびき、それがこんどは「労働と言語に反作用して…両者をい
っそう発達させた」と。このあと、脳の発達に関連して、「肉食」につ
いての比較的長い考察が続きますが、これはあとに回します。

　最後にエンゲルスが言及するのは、「できあがった人間の登場ととも
に新しく加わってきた一要素──社会」（57頁）です。社会は労働と言
語の発達を「一方では強力に推進し、他方ではかなりはっきりした方向
に導いていった」。注意すべきは、ここでいう「社会」が、「生成途上の
ヒト」（55頁）の社会ではなく、「できあがった人間の登場とともに新し
く加わってきた」（57頁）社会だということです。「狩猟と牧畜とに加え
て農耕が現われ、その農耕に加えて…商工業が…最後に芸術と科学とが
現れた」、また「種族からは国民と国家とができ…」「法と政治とが生ま
れ、これとともに、人間的事物の人間頭脳における空想的映像である宗
教が発生した」（60頁）というのですから、原始的な共同社会ではなく、
文明的な階級社会をさしていると考えられます。
　さて、この階級社会では「こうした形成物は、すべてまずなによりも
頭脳の所産として現われ、そして人間社会を支配するように見えたので、
労働する手が生み出すもっと地味な生産物は、そうしたものを前にして
背景にしりぞいた。」「文明の急速な進展をもたらしたという功績は、す
べて頭脳に、頭脳の発達と活動とに、ある、とされた。人間は、自分た
ちの行為を自分たちの思考をもとに説明するのに慣れていき、自分たち
のもろもろの必要をもとにしては説明しなくなっていった。このように
して、観念論的世界観が生まれ…人びとの頭を支配してきた」せいで、
いまなお「ダーウィン学派の唯物論的な自然研究者たちでさえ…ヒトが
誕生したさいに労働がはたした役割を認識」（60〜61頁）できないでい
るのだ、とエンゲルスは強く指摘しています。これこそ社会が労働と言

語を「一方では強力に推進し、他方ではかなりはっきりした方向に導いていく」という文のなかみでした。「かなりはっきりした方向」とは、「観念論的世界観」が支配的思想になることをさします。

　以上がエンゲルスの人間起源論のあらましです。「サルからヒトへ」はまだ続きますが、このへんでいったん追跡を切りあげ、つぎにエンゲルスの考察が現代の研究とどのように反響しあっているかをとりあげます。

2　「サルからヒトへ」と現代人類学の対話

　（1）エンゲルスの「サルからヒトへ」は、当時の実証的知識の限界にもかかわらず、大筋において驚くほど正確な洞察にみちています。脳の増大よりも直立2足歩行が先行したという主張は、当時の「ダーウィン学派の唯物論的な自然研究者たち」の認識をこえていました。それどころか、かれの分析は当時のダーウィン学派の自然研究者たちが陥った迷妄の理由をも暴いています。現代の進化生物学と科学史の大家であるスティーブン・ジェイ・グールド（**注2**）は、『ダーウィン以来―進化論への招待』（1977、ハヤカワ文庫）のなかで、こう述べています。

　「脳の進化が他のすべてに優先したという考えがそんなにも［20世紀半ばまで］頑強に踏みとどまったのはなぜだろうか。」（338頁）

　「実は、19世紀のある思想家が一つのみごとな真相暴露を行なっていた。読者の大多数は驚かれると思うが、それは他でもないフリードリッヒ・エンゲルスである。」（339頁）

　「エンゲルスの手稿の重要性は…脳の進化が他のすべてに優先していたという先験的な主張になぜ西洋の科学ががんじがらめになっていたのかについて、鋭い政治的分析を行なったことにある」（340〜1頁）。

　こののち、グールドは、エンゲルスを引用しながら、「脳が他のすべてに優先する」という考えは、「職業的思想家と彼らのパトロンの階級的地位に関係した根深い社会的偏見である」こと、にもかかわらず「非常に明白で自然であるように見えたので」「所与のものとして受けいれ

られた」（342頁）と説明し、再びこう述べます。

　「エンゲルスの手稿の重要性は…あらゆる思想に必然的に影響を与える科学と社会的偏見の政治的役割を鋭く分析したことにある。」（343頁）

　グールドのいうエンゲルスの「政治的分析」とは、次のようなものです…「手の労働」の発展によって国家や宗教が現われるようになると、「手による労働」は支配者たちの「脳による労働」に従属させられていく。それにより、思想が手の労働よりも高貴であるという観念［観念論的な伝統］が生まれ、イデオロギーとして「人びとの頭を支配する」ようになった。「ダーウィン学派の唯物論的な自然研究者たちでさえ——このイデオロギーに影響されて、ヒトが誕生したさいに［手による］労働が果した役割を認識しないために——まだ人類の起源について明晰な観念をもつことができないでいるのである。」（61頁）グールドが科学史家として高く評価したのは、じつはエンゲルスのこのような「政治的分析」（といってもかまいませんが、より正確には）唯物論的・社会科学的なイデオロギー分析でした。

　ところで、グールドは「19世紀における直立姿勢論の第一人者は、ドイツにおけるダーウィンの番犬、エルンスト・ヘッケルであった。」（337～8頁）「エンゲルスは彼の結論［直立歩行］を、あたかも彼の唯物論哲学の前提から演繹的に導きだされたかのように述べているが、それをヘッケルから盗用したことについては私には確信がある。」（340頁）と書いています。

　しかし、エンゲルスの直立2足歩行先行説は、「自由な手」つまり「労働」の前提であり、かれの唯物論と社会科学のなかにしっかり組み込まれたものです。これを「あたかも彼の唯物論哲学の前提から演繹的に導きだされたかのように述べている」とか、結局それが正しかったのは「幸運な結果」（343頁）である、とか評するのはあまり公平な物言いではないでしょう。ついでに、エンゲルスはヒト誕生の地をアフリカ（ダーウィン説）ではなく「インド洋に沈んでしまった或る大きな大陸」（51頁）としていますが、たしかにこれはヘッケルから仕入れたものです。このヘッケルの説に導かれて東南アジアへ探索に向かったオランダ

の青年医師デュボア（1858〜1940）は、1891年インドネシアのジャワ島で「直立猿人」を発見しました。これが世界最初のヒトすなわち「ホモ・エレクトス」化石（「ジャワ原人」）の出土です。これこそ「幸運な結果」というべきではないでしょうか。

（2）1992年にアフリカのエチオピアで、440万年前の初期猿人「アルデピテクス・ラミダス」（**図1**）が発見されました。驚いたことにラミダス猿人が住んでいたのは、のちの猿人たちが住んだような乾燥したサバンナ（熱帯草原）ではなく、熱帯季節林（疎林）でした。出土したほぼ全身骨格から分かったのは、まだ森に依存していながら直立2足歩行をしていたことです。ただし、土踏まずはなく、あと足の指で木の枝をつかんでいました。この特徴は、類人猿のものです。のちに復元されたラミダス猿人化石、愛称「アルディ」（女性）は、身長120cm、体重50kg、脳容積300−350ccでした。かの女は類人猿の特徴を残しながら（エンゲ

図1　アルデピテクス・ラミダスの化石・想像図・骨格

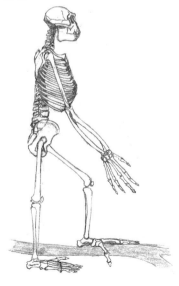

米国の科学雑誌「サイエンス」2009年9月2日号より

ルスの表現をかりると）ヒトへの「決定的に重要な一歩」を「踏みだして」いたのです。

　しかし、アルディは最古の人類ではありません。西暦2000年を前後して古い化石の発見が相次ぎます。現在、最古と見なされている人類化石は、2001年にアフリカ中部のチャドで頭蓋骨が発見された、約700万年前の「サヘラントロプス・チャデンシス」です。これで人類の誕生（チンパンジーとの共通祖先から分岐した時点）は、およそ250万年さかのぼったことになりますが、それでもアルディの身体はサルからヒトへの移行の最初の形をとどめているといえます。

　ここで現代の研究にもとづく「人類の進化系統図」の１つを紹介し、簡略な説明をつけておくことにします（章末　図2）。

　直立２足歩行は、初期猿人に始まり、猿人で確立、原人で完成します。原人はもはや現代人と変わらぬ長距離歩行者です。大まかにいうと、直立２足歩行が完成するまでにおよそ500万年かかりました。ところが、その間、脳容量は類人猿とそれほど変わりません。アファレンシス猿人で現生チンパンジー（平均394cc）に並び、アフリカヌス猿人（441cc）で上回りますが、ゴリラの500ccには届きません。人類の脳が類人猿をはっきり追い越すのは、初期の原人ホモ・ハビリス（640cc）からです。そこから急速に大きくなり、ホモ・エルガスター（アフリカの原人）で700〜1100cc、ホモ・エレクトス（アジアの原人）で800〜1000cc、ネアンデルタール人（旧人）で1450cc、そしてホモ・サピエンスで1350ccです。アフリカヌス猿人から約250万年かけて３倍になりました。

　では、なぜ、この時期に脳（おもに大脳新皮質）が増大したのか、それが問題です。エンゲルスの答えは「いちばんはじめに労働、その後に…労働とともに、言語——この２つが本質的にもっとも重要な推進力となって、その影響のもとにサルの脳は…ヒトの脳へしだいに移行していった」（56頁）というものでした。この答えを現代の研究成果に重ね合わせてみましょう。

　最初の石器製作者は、およそ250万年前のホモ・ハビリスです（近年、ガルヒ猿人という説も）。最初の石器は礫石器（石ころの一部を打ち欠い

て粗い刃をつけたもの）です。原人になると、握斧（ハンドアックス）が
つくられます。では、これらの打製石器は、なんのために用いられたの
でしょうか。狩りでしようか？　しかし、かれらはハンターというより
大型の肉食獣によって狩られる側にいました。むろん猿人の時代から小
動物をつかまえ屍肉をあさるなど、肉を食べてはいたでしょう。でも、
その程度なら、わざわざ困難な石器づくりに時間とエネルギーを使うこ
とはなかったはず。それなのにどうして？　じつは新しい肉の入手先は
骨の中でした。石器は骨を叩き割って骨髄をとりだすために使ったので
す。骨髄はふつうの肉よりも栄養価に富む食料です。これにより、かれ
らはより多くの肉を食べるようになります。さらに、火の利用も始まり
ます。エンゲルスは、「サルからヒトへ」で、「肉食の習慣をつけたこと
が、生成途上のヒトが体力と自立性とを手に入れるのに本質的に役立っ
た。…いちばん重要なのは、肉食が脳に及ぼす作用であった」（59頁）
と指摘しています。さらに旧人や新人になると、剝片石器をつくりこれ
を槍や矢尻として利用します。つまり、ここでヒトははじめて手強いア
ニマル・ハンターに変身したのです。

　こうして労働（石器の製作や狩猟・採集など）と言語（協働や共同生
活）と肉食は、たがいにあいまって脳の増大をもたらします。エンゲル
スの「労働がヒトをつくった」という「労働」仮説は、たんに労働とい
う活動が身体や能力をきたえ、それが遺伝した（獲得形質の遺伝）こと
によりヒトができあがった、とか、まして労働だけがヒトをつくった、
とか主張しているわけではありません。自然環境（根源的な生きる場）
の変化に、生成途上のヒトがどのように適応していったか、その適応の
独自な形（主体性）が問題なのです。労働という活動と労働や言語がつ
くりだす歴史的環境（現実の生きる場）―物質的・精神的文化、社会、
生活、そして変更された自然―をもふくんで「労働が人間をつくった」
と主張しているのです。

　（3）近年、多くの支持を集めている人類進化論にロビン・ダンバー
（注3）の「社会脳仮説」があります。「社会脳仮説とは、生態学的環境

ではなく、集団内における複雑な社会的環境が脳を急速に進化させたという仮説」（ダンバー「社会脳仮説」1998）です。それはうまく立ち回ったり、ときには他者を出し抜くなど「マキャベリ的」な社会環境への適応が大脳（おもに大脳新皮質の前頭連合野）を増大させたという説です。これに対立するのが「種の生態的な環境が脳のサイズを決定するという仮説」です。自然環境（生態学的環境）のなかでなにを食料とするか、それをどのように獲得し、加工・保存し、分け合うかなど認知・記憶機能の必要が脳のサイズを決めると考えるのです。このような選択肢のなかでは、「労働」仮説は「生態」仮説の１つと見なされるのですが、そう単純な説ではないということは、先ほど述べました。

　この点についてぜひとも紹介しておきたいのは、ホモ属における脳容量増大の要因にかんする近年の研究「人類の脳進化の生態学的および社会的要因についての推論」（M・ゴンザレス・フォレロ、A・ガードナー、英国科学誌「ネイチュア」2018）です。

　それは脳容量の進化に関係しそうな選択圧を４つのタイプに分け—生態（個体vs自然）、協力行動（個体群vs自然）、個体間競争（個体vs他の個体群）、集団間競争（特定の個体群vs他の個体群）—それぞれがどのような割合で脳容量の進化の要因になったかをコンピューターシミュレーションで推測したものです。その結果、サピエンス（新人）については生態が60％、協力行動が30％、集団間競争が10％となりました。

　この研究が示唆するのは、「脳容量増大の要因は、個体間や集団間の競争ではなく、なによりも生態学的課題である…。社会的複雑性は脳容量増大の原因ではなくむしろ結果であり、人間性の本質は社会的駆け引きというより生態学的課題の解決と蓄積された文化にある…」ということです。

　この論文の批判的検討が必要ですが、非常に興味深い研究です。社会脳仮説は、現代の複雑な人間関係のなかで対人関係にいつも気を使いながら自己を背負って生きている現代人にとって、たいへん魅力的な、いや説得力ある理論ですが、まだ「これで決まり」とすることはできません。

（4）「労働」仮説の立場から、心の概念にアプローチしている脳神経科学者たちがいます。理化学研究所の入来篤史チームリーダーは、『脳科学の最前線―脳の認知と機能』（理化学研究所脳科学総合研究センター編、2007、講談社ブルーバックス）のなかで、「人間らしさの本質をいちばんよく反映している…『道具を使う』というヒトの行動［つまり労働］に着目し、「道具を使う脳神経の働き…が物を動かす心を産み出した」と主張しています。

　入来によれば「霊長類が出現し、手が移動手段から解放されて、自己以外の環境中の事物を操作し、その結果を両眼で見て詳細に確認できるようになると…情報を処理する脳内神経回路もそれに適応して進化し」ます。（145頁）それまでの動物では、「動くものと動かされるものが自己の身体と一体化していた」のに、霊長類の身体運動では、「動かす『主体』である身体と、動かされる『客体』である身体外の事物が物理的に分離し」ます。（160頁）

　しかし、「様相が一変する」のは、「ヒトの祖先が外界の事物を手に持ち、それを身体の延長として動かそうと、道具の使用をはじめたときです。このとき、道具が身体の一部となると同時に、身体は道具と同様の事物として『客体化』されて、脳内に表象されるようになります。」「自己の身体が客体化されて分離されると、それを『動かす』脳神経系の機能の内に独立した地位を占める『主体』を想定せざるを得なくなります。その仮想的な主体につけられた名称が、意思を持ち感情を抱く座である『心』です。」（172頁）

　「自己の脳神経の機能の内に『心』が想定されると、主体は身体が時間を超えて永続的につづくことに気づいて、次第に確固とした自己の概念が確立されてゆきます。また、同様にして他者のうちにも心の存在を想定せざるを得なくなります。そうするとさらに、『動かす』対象は事物を超えて、他の主体たる他者にも及ぶようになって、心は自己と他者との間で相互作用をはじめることになります。」「こうして、心を持った複数の主体は相互に心を認め合い、いわゆる『心の理論』が芽生えま

す。」（176頁）

　労働すなわち道具の使用と製作により、ヒトは大脳新皮質を拡大させ、認知機能を発展させるだけでなく、「脳神経の機能の内に『心』」を獲得し、「自己の概念を確立し」ます。それらは同時に群れを社会に変え、「自己と他者の間での心の相互作用」を豊かに複雑にします。こうして労働概念は心の概念へ接続していくのです。

3　続「サルからヒトへ」の概要

　1章の「サルからヒトへ」の追跡（概要）は、「社会」（じつは文明と一体化した階級社会）と観念論的世界観で終っていました。ここで追跡をふたたび開始しましょう。

　エンゲルスは「人間を人間以外の動物から分ける最後の本質的に重要な区別」として「自分が起こす変化によって自然を自分の目的のために利用し、自然を支配する」ことをあげ、「またしても労働がこの区別を生み出す」（63頁）と念押ししています。

　「自然の支配」というと、近年では評判がよくないのですが、エンゲルスはこれをもっぱら「自然の諸法則を認識し、これを正しく適用」して自分の目的を実現するという意味で使っています。それは「或る征服者が或るよその民族を支配する」とか「だれか自然の外にいる者が自然を支配する」とか、と同じではないのです。

　労働は目的意識的な対象変革活動です。「動物は、外部の自然を利用するだけ」（62頁）なのに、人間は自然の形を変えて（生産）、自分の目的を実現します。つまり「見込んだとおりの諸結果」（63頁）を手に入れます。しかし、そのことによりのちに（「二次的また三次的に」）予想もしなかった結果にみまわれることになります。人間は自然の外にいるのではなく、「肉と血と脳髄とを挙げて自然のものであり、自然のただ中にいる」から、「自然の復讐」（63頁）から免れることはできないのです。エンゲルスは生産が引き起こす、このような「自然的影響」（64頁）の歴史的事例をいくつもあげていますがここでは省略します。

つぎに話は「社会的影響」に移ります。だれ一人予想できなかったことだが「17・8世紀の蒸気機関の製作が…ヨーロッパでは少数者の側には富を、圧倒的な多数者の側には貧困を、集中することによって、まずブルジョアジーに社会的・政治的支配を得させ、ついでブルジョアジーとプロレタリアートのあいだに…階級闘争を生み出すことになる」（64－5頁）と。しかし、現在、この「間接の社会的影響」が認識されるようになり、それによってこれを「抑え規制する可能性」が生まれている。ただし、このためには「ただの認識以上のもの」つまり、実践的に「生産のしかたと …社会体制全体とを完全に変革することが必要」になる、といいます。

　このあと、エンゲルスは、「これまでのすべての生産のしかたは、労働のごく目先の直接的な効果を達成することしか眼中におかず…もっと後になって現れて…くる［労働の］諸結果は、まったく無視されてきた」（65頁）。このことが「最も完全に実行されているのは、こんにち西ヨーロッパで支配的な資本家的な生産のしかたにおいてで」、そこで資本家が気にかけるのは「自分たちの行為のもっとも直接的な効果」だけであり、商品の「有用性」さえ「二の次になり」「利潤」だけが唯一の動機になっている、と指摘しています。ここで「サルからヒト」は中断の形で終了します。

　この章で追跡した部分は、いわゆる「人間起源論」から大きくはみ出しています。人間起源論として「サルからヒトへ」を読んできた読者は、多かれ少なかれ面食らったに違いありません。しかし、エンゲルスにとっては、ここで述べたことも、ある意味で人間起源（生成）論の一部にほかならないのです。かれは人間をどこまでも自然存在として「肉と血と脳髄とを挙げて自然のものであり、自然のただ中にいる」存在としてとらえていました。だが、その人間は、「物質の地球上での最高の精華である思考する精神」（『自然弁証法』序論31頁）でもあります。

　「資本家的な生産のしかた」は、目先の直接的目的（つまり利潤）を追いかけるあまり、それを「めざしたもろもろの行為から生じた」結果（自然的・社会的な影響）を軽視しています。それにより自然環境は破壊

され、人間は不幸な境遇—超過労働、貧困、不況、失業、生存闘争など
のいわば「動物世界」に追いやられているのです。エンゲルスの考えは
「社会的な生産の意識的な組織ができてはじめて、人間は社会関係にお
いても残りの動物世界から抜け出すことができる」（26頁）というもの
です。エンゲルスの「サルからヒトへ」が通常の人間起源論とは違って、
資本家的な生産の社会（資本主義的階級社会）を乗り越え、ヒトが人間
らしい人間になる道筋まで視野を拡げている理由は、ここにあります。
そしてまた「サルからヒトへ」が『隷属の三つの基本形態』の序論とし
て書かれた理由も、ここにあるのです。

注
注1　英国の人類学者G・E・スミス（1871—1937）は、アウストラロピテク
　　　ス・アフリカヌスの発見者・命名者R・ダートの師です。かれは、1928年に次
　　　のように書いています…「ヒトを類人猿からつくったのは、直立姿勢の採用と
　　　か、文節言語の発明とかいうことではない。そうではなくて、脳が徐々に完成
　　　したことと、精神構造がゆっくり形成されたことである。立ち居振舞の直立性
　　　とか言語とかはそれに付随して起ったことの一部である」。エンゲルスの執筆
　　　時から50年も経っているのに、このような説が大手をふるってまかり通ってい
　　　たのです。ただし、ダート自身は、その命名にもかかわらず、当の化石を人だ
　　　と考えていたようです。
注2　S.J.グールド：1941〜2002、ハーヴァード大学教授、専門は進化生物学、
　　　「断続平衡説」を提唱、科学エッセイスト。多くの著書で知られる。『ワンダフ
　　　ルライフ』、『個体発生と系統発生』、『ダーウィン以来』、『パンダの親指』など。
注3　ロビン・ダンバー：1947年英国生まれ。オックスフォード大学進化心理学教
　　　授。専門は霊長類の行動。ダンバー数や社会脳仮説を提唱。著書に『友だちの
　　　数は何人？』、『人類進化の謎を解き明かす』、『ことばの起源』、『科学が嫌われ
　　　る理由』などがある。

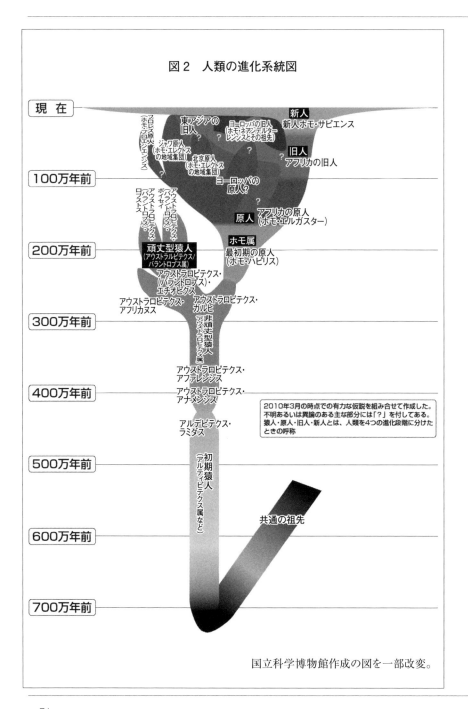

図2　人類の進化系統図

国立科学博物館作成の図を一部改変。

　左図、下部の700—420万年までの細長い塊<ruby>塊<rt>かたまり</rt></ruby>は、初期猿人のグループで
す。ここにはサヘラントロプス属やアルデピテクス属などがはいります。
つぎの420—150万年間の右手状の塊（280万年あたりで2つに分かれて
います）が主要な猿人であるアウストラロピテクス属です。うち、左に
向かう3本の指は、小指が非頑丈型のアフリカヌス猿人、残りが頑丈型
猿人で、ホモ属にはつながりません。右の肥大化した親指のように見え
る塊（250万年前から現代まで）がホモ属つまりヒトのグループです。
図ではホモ属はハビリスだけのように見えますが、その上の大きな塊こ
そホモ属の本体です。そのなかに積み重なる形で原人—旧人—新人が分
かれています。もっとも右側の部分（アフリカのホモ属）がホモ・サピ
エンス（新人）へとつながります。最上部で左右に広がっているのは、
サピエンス種が世界中に拡散している様子を表わしています。

第5章

社会主義は科学になった
――『空想から科学へ』を読む

鰺坂 真

はじめに

　エンゲルスの『空想から科学への社会主義の発展』（略称『空想から科学へ』）は、1880年に出版されました。もともとこの本は、1878年に書かれた『オイゲン・デューリング氏の科学の変革』（略称『反デューリング論』）という大部の本の３つの章を取り出し、いくらかの補筆をして書かれたものです。

　マルクスが、この本のフランス語版への序文で、「科学的社会主義への入門書」（９頁。以下、引用はすべて新日本出版社・古典選書より）と書いているように、この本は、マルクスの若いころからの盟友であり、科学的社会主義理論の創始者のひとりでもあるエンゲルスが書いた史上最初の「入門書」です。また世界各国で翻訳されている古典であり、極めて重要な解説書です。

　この本は３つの章に分かれています。

　第１章は、科学的社会主義の思想に先立ついわゆる空想的（ユートピア的）社会主義（**注１**）の思想がどのようにして生まれたのか、そして

その特徴と歴史的限界を解明し、科学的社会主義がそれをどのように継承し、発展させたかといったことを論じています。

　第2章は、空想的社会主義を乗り越えて、科学的社会主義の理論が生まれてくるにあたって、重要な役割を果たした弁証法について、ドイツ古典哲学の完成者ヘーゲルを中心に、その考えがどのように発展して来たかを述べています。

　第3章は、資本主義の生成と発展と社会主義への移行の必然性、およびこの将来社会の基本的特徴が論じられています。

1　空想的社会主義について

　「現代の社会主義」は「はじめは、18世紀のフランスの偉大な啓蒙思想家たちの打ち立てた諸原則を引き継ぎ、さらにおしすすめたものとしてあらわれた」（23頁）とされます。彼らは理想に燃えており、旧い「宗教、自然観、社会、国家制度」などすべてのものに批判を加え、「理性の王国」（24頁）を打ち立てようとしました。しかしフランス革命の結果、実現した社会が「ブルジョアジーの王国」であり、「ブルジョア的民主共和国」であるにすぎなかったことに気が付かないわけにはいかなかったのです（25頁）。この新しい階級矛盾を解決する必要に迫られて空想的社会主義の思想家たちが現れることになりました。

　その代表者は、サン・シモン、フーリエ、およびオウエンです。彼らは階級的差別を廃止することを提案しましたが、しかしそれには歴史的限界がありました。彼らは「このころまでに生み出されていたプロレタリアートの利益の代表者としてあらわれたのではなく」、「直ちに全人類を解放しよう」としたのでした（28頁）。それはまだ抽象的で未成熟な理論でした。「プロレタリアートは、まだ独立の政治行動を行う能力がない」状態で、「資本主義的生産の未成熟な状態、未成熟な階級の状態には、未成熟な理論が照応していた」というわけです（32頁）。彼らは空想的な社会主義理論を展開することになりました。しかしそれにもかかわらず、彼らの理論は「天才的な思想の萌芽」（33頁）を持ってい

した。

（1）サン・シモンについて

サン・シモン（1760－1825）は、「フランス革命の子」であり、貴族と僧侶に対立する第三身分の立場に立ち、フランス革命の支持者でしたが、この第三身分のうち特権的有産ブルジョアジーなど「働かざる者」が実権を握っていることに我慢が出来ませんでした。彼は「すべての人間は働かなければならない」（35頁）といい、「怠け者」（34頁）を批判しました。いわゆる「働かざる者は、食うべからず」という思想です。しかし、ここで「働くもの」というのは、賃金労働者だけでなく、工場主、商人、銀行家も含んでいました。ここには当時の「未成熟な階級状態」が反映されていますが、同時に彼はフランス革命を明確に階級闘争として、しかも貴族と商工市民層とのあいだだけでなく、彼らと無産者とのあいだの階級闘争としてもとらえていました。

また「国家の廃止」を唱えるなど先見性に満ちた思想家でした（36頁）。しかしプロレタリアートの役割についての明確な認識はありませんでした。

（2）フーリエについて

次に、フーリエ（1772－1837）ですが、彼はフランス革命後の「ブルジョア世界の物質的および精神的みじめさを容赦なく暴き出し」、以前の啓蒙思想家たちの「偽善的約束」や「同時代のブルジョア思想家たちの美辞麗句」と現実のみじめさとを対比して、「空文句の救いようもない破綻にしんらつな嘲笑を浴びせ」ました。彼は「革命の退潮とともに盛んになった詐欺的投機や、当時のフランスの商業の全般に見られた小商人根性を見事にしかも面白く描き出して」、資本主義に対する痛烈な批判を行っています（37頁）。こうして彼は資本主義を乗り越える社会主義の理論を、空想的とはいえ構築していきました。

「それよりももっと見事なのは」彼の男女平等・女性解放についての発言であるとエンゲルスは言います（37頁）。「ある社会における女性の

解放の度合いが全般的な解放の自然の尺度である」というフーリエの発言は画期的であるとエンゲルスは言っています（37〜38頁）。

　またフーリエは、これまでの歴史を未開、野蛮、家父長制、文明という４つの段階に分けました。そして「文明の段階は、未開時代に単純なやり方で行われたあらゆる悪徳を、複雑な、あいまいな、うらおもてのある、偽善的な存在の仕方に高める」といい、さらに「文明時代には貧困は過剰そのものから生じる」ともいって、今日の「文明社会」が１つの矛盾に陥っていることを指摘しています。ここには、後のヘーゲルと同じ歴史の「弁証法」が巧みに駆使されているともエンゲルスは指摘しています（この弁証法については、後のところで解説します）。

（3）イギリスの状態、およびロバート・オウエンについて

　サン・シモンとフーリエはフランスの思想家ですが、次はイギリスが舞台になります。

　「フランスで革命の嵐が国中を吹きまくっていた間に、イギリスではもっと静かではあるが、だからといって力づよさで少しも劣ることのない変革が進行した」（39頁）。これはいわゆる産業革命でした。近代的な機械制大工業が誕生しつつありました。「大資本家と無産のプロレタリアへの社会の分裂はますます速い速度で」進行していました。それは「ひどい社会的弊害を生み出して」いました。大都市に「浮浪民がひしめき合って」おり、「習慣や家父長制的な服従や家族というようなすべての伝来のきずながゆるんだこと——過重労働、とくに婦人と子どもたちの恐るべき程度の過重労働」が起こっていました（39頁）。

　ここにロバート・オウエン（1771 - 1858）が、空想的社会主義の思想をたずさえて登場しました。

　しかし彼は貧しい労働者の代表ではありませんでした。彼はマンチェスターにある500人ほどの工場の管理者でした。彼は、そこで労働者たちの生活環境と労働条件の改善に成功しました。

　彼は「人間の性格は一方では生まれながらの体質の産物」ではあるが、他方では「人間を取り巻く環境の産物である」という唯物論的啓蒙思想

家の学説を身につけていました（40頁）。そこで
スコットランドのニューラナークで大紡績工場を
経営して、2500人ほどの労働者の集落を、警察も
裁判所も貧民救済もいらない「模範集落」（40
頁）に変えました。

　彼は、この町で2歳から入れる世界最初の幼稚
園を作るなど幼児教育にも力を注ぎました。また
労働時間を10時間半に短縮し、綿花恐慌で休業中
の労働者にも賃金を全額支払いました。

ロバート・オウエン

　彼は、このように「純粋に実務的やり方で、いわば商人的な計算の結
果として、共産主義の思想」を生み出したのでした（43頁）。

　しかし彼はさらに進んで、私有財産制度、家族制度、宗教の改革を志
しましたが、ここへ来ると旧社会が彼の前に立ちふさがりました。やが
て彼の事業は失敗し、破産に追い込まれました。しかし彼はその後も活
動を続け、イギリスの工場での労働時間の制限、イギリスの全労働組合
の連合、協同組合の設立などに貢献しました。

　以上のサン・シモン、フーリエ、ロバート・オウエンらの空想的社会
主義者の思想は、その後イギリスやフランスの社会主義者、およびドイ
ツの共産主義者に影響を与えました。しかし「社会主義を科学にするた
めには、まずそれが実在的な基盤の上にすえられねばならなかった」
（46頁）。エンゲルスはこのように第1章を結んでいます。

2　弁証法について

　フランスで、空想的社会主義の思想が成長し、イギリスで産業革命が
進行している間に、ドイツではドイツ古典哲学が発達し、ヘーゲルでそ
れが頂点に達していました。「その最大の功績は、思考の最高の形式と
しての弁証法をふたたび取り上げたことである」（47頁）とエンゲルス
は述べています。「ふたたび」と述べているのは、弁証法が古代ギリシ

アですでに発生していたからです。

（1）古代ギリシアの弁証法と近代自然科学の発展

　エンゲルスは、古代ギリシア弁証法の思想を次のように述べています。万物がわれわれの前に現れる姿は「連関と相互作用が無限にからみ合った姿であり、その無限のからみ合いのなかでは、どんなものも、もとのままのもの、もとのままのところ、もとのままの状態にとどまっているものはなく、すべてのものは運動し、変化し、生成し、消滅している」（48頁）。このような「原始的な、素朴な、しかしことがらの本質上正しい世界観が、古代ギリシアの世界観」であり、古代の弁証法でした。

　その代表者としてエンゲルスは、ヘラクレイトス（前540頃-前480頃）の名を挙げています。ヘラクレイトスは「万物は流転する」という言葉で有名です。

　古代ギリシアの弁証法は優れたものでしたが、近代の自然科学が発展し始めると、物事の全体を大きくとらえて「万物は流転する」といっているだけでは十分でないことが明らかになります。「個々の事物を知らない限り、全体の姿もわれわれにとって明らかではない」（48頁）からです。

　15世紀後半以後、「自然をその個々の部分に分解すること、種々の自然過程と自然対象を一定の部類に分けること、生物体の内部をその多様な解剖学的形態にしたがって研究することは、最近400年間に自然を認識するうえで行われた巨大な進歩の根本条件であった」（49頁）とエンゲルスは述べています。

　近代自然科学の発展にとって、このような分解・分類・解剖など、要するに分析的方法は極めて重要でした。しかし、「それは同時に、自然物や自然過程を個々ばらばらにして、大きな全体的連関の外でとらえる習慣、したがってそれらを運動しているものとしてではなく、静止しているものとして、本質的に変化するものとしてではなく、固定不変のものとして、生きているものとしてではなく、死んだものとしてとらえる習慣を残した」（50頁）のでした。

「この見方が、自然科学から哲学に移されたことによって、それは最近数世紀に特有な偏狭さ、すなわち形而上学的な考え方を作り出した」（50頁）とエンゲルスは言っています。

　ここでいう「形而上学」というのは、アリストテレスの著書の表題でしたが、近代になって「古い哲学」あるいは「硬直した哲学」という意味から、ヘーゲルによって「古い形而上学」の用いる「弁証法的でない思考法」が批判されました。エンゲルスも反弁証法を「形而上学」と呼んで批判します。

（2）形而上学的思考法への批判

　形而上学的思考法の特徴は、「一つの物は存在するか、存在しないかである。一つの物がそれ自身であると同時に他のものであることはできない。肯定と否定とは絶対に排除しあうし、同様に原因と結果は硬直した相互対立をなしている」（50頁）ということです。

　この考え方は「いわゆる常識の考え方であるので、一見したところきわめて明白なようにみえる」（50頁）といったうえで、エンゲルスは、しかし「研究という広い世間にのりだすやいなや」多くの困難に遭遇せざるを得ないと指摘しています。

　「というのは、形而上学的な見方は、個々の物にとらわれてその連関を忘れ、その存在にとらわれてその生成と消滅を忘れ、静止にとらわれて運動を忘れるからであり、木を見て森を見ないからである」（51頁）といいます。

　たとえば、生物が生きているか、死んでいるかは、常識では明らかですが、しかし厳密に死の瞬間を決めることは極めて困難です。「生理学の立証するところでは、死は一度きりの瞬間的な出来事ではなく、非常に長引く過程だからである」（51頁）といいます。

　現代の医学の問題として言い換えれば、いわゆる「脳死」の問題です。心臓は生きているが、脳は死んでいるという状態をどう理解するかという問題です。そのように生と死とは明確な境界を設けることは実は不可能です。死は瞬間の事柄ではなく、一定の時間を伴う過程です。

　同様に「各瞬間に生物は、外部から取り入れた物質を消化し、他の物質を排泄する。各瞬間に、その身体の細胞は死滅し、新しい細胞が形成される」。「どの生物もつねに同一のものであり、しかもなお他のものであるということになる」（51～52頁）。このような事例をあげて、エンゲルスは、これらが「形而上学的思考のわくにははまらない。…すべて弁証法自身のやり方を確証するものである」と述べています。そして「自然は弁証法の試金石である」（52頁）といい、当時、新知識であったダーウインの進化論や、カントが提唱していた「星雲説」（宇宙進化論）を挙げています（53～54頁）。

（3）ヘーゲル弁証法の功績と限界

　カントに始まるドイツ古典哲学は、ヘーゲルの体系において完結に達しました。このヘーゲルの体系においてはじめて「自然的、歴史的、および精神的世界全体が一つの過程として、すなわち、不断に運動し、変化し、改造され、発展しているものとしてとらえられ、叙述され、そして、この運動と発展のうちにある内的な連関を指摘する試みがなされた」（54頁）のです。

　このようにエンゲルスはヘーゲルを高く評価しながら、同時にその限界を指摘します。すなわち当然のことではありますが、ヘーゲルの知識には歴史的限界がありましたが、それよりも彼が観念論者であったことを指摘します。ヘーゲルの観念論は、自然や社会や人間よりも前に「理念」が存在して、それが現実化されたものが世界の事物だというのです。

　ヘーゲルの弟子の中の革新的なグループ（ヘーゲル左派）がこれを乗り越えていくことになりました。彼らは観念論の誤りを見抜いて（56頁）、これを唯物論の方向へ乗り越えたのです。そしてマルクスとエンゲルスは、唯物論といっても17・18世紀のような形而上学的で機械的な唯物論にもどるのではなく、ヘーゲル哲学の弁証法を生かした唯物論へと発展させたのです。

（4）唯物論的弁証法と唯物論的歴史観

　エンゲルスは、ここで唯物論とは何かということを詳しく説明していませんが、観念論が精神や理念といったものを物事の根源と考え、結局は神を世界の創造者として認めるのに対して、物質的存在こそ物事の根源であると考える立場が唯物論です。それは第1章の終わりで、エンゲルスが言っていたように、「社会主義を科学にするためには、まずそれが実在的な基盤の上にすえられねばならなかった」というときの科学の立場に立つことです。

　折から、歴史的現実が大きく転回し始めていました。1831年のリヨンの労働者の蜂起、1838年から1842年にかけてのイギリスの全国的な労働運動であるチャーチスト運動（普通選挙権の要求）の高まりがあり、プロレタリアートとブルジョアジーの階級闘争が歴史の前面に現れてきました。ここから、古い観念論的な歴史観も見直されました。

　そして、「これまでのすべての歴史は、原始状態を例外として、階級闘争の歴史であったこと」、これらの互いに闘争する諸階級はその時代の「経済的諸関係の産物であること」、だから「社会のそのときどきの経済的構造が現実の土台をかたちづくっており、それぞれの歴史的時期の法律的および政治的諸制度ならびに宗教的、哲学的、その他の見解からなる全体の上部構造は、結局、この土台から説明されるべきであるということ」（59頁）がマルクスとエンゲルスによって明らかにされたのです。

（5）社会主義は科学になった

　これらの諸条件が新しい科学的社会主義の理論の形成を促すことになりました。その結果、「いまや社会主義はもはやあれこれの天才的頭脳の偶然的な発見としてではなくて、二つの歴史的に発生した階級、すなわちプロレタリアートとブルジョアジーの闘争の必然的な産物としてあらわれたのである。社会主義の課題は、もはや、できるだけ完全な社会体制を仕上げることではなくて、これらの階級とその対立抗争が必然的にそこから発生してくる歴史的な経済的経過を研究し、その経過によっ

て作り出された経済状態のうちにこの衝突の解決の手段を発見すること
であった」(59〜60頁) とされます。

　そして、マルクスが資本主義的生産様式の秘密を、つまり「労働者の
搾取」のしくみを暴露しました。「資本家は労働者の労働力を、それが
商品市場で商品としてもっている価値どおりに買う場合でさえ、資本家
が労働力のために支払ったもの〔賃金〕よりもより多くの価値〔剰余価
値〕をその労働力から手にいれる」(61頁)。そしてこの「剰余価値」の
取得によって資本家の富がますます多くなるのです。

　このようにして、「唯物論的歴史観」と「剰余価値による資本主義的
生産の秘密の暴露」という「二つの偉大な発見」によって「社会主義は
科学になった」とエンゲルスは結んでいます。

3　科学的社会主義について

　第3章では、資本主義の発生と発展の必然性、およびこの資本主義に
内在する諸矛盾と社会主義への移行の必然性と、将来の社会主義社会の
基本的特徴が論じられています。

　まずエンゲルスは、彼がより所とする「唯物論的歴史観」の基本点を
あらためて次のようにまとめています。

（1）唯物論的歴史観の基本点

　「唯物論的歴史観はつぎの命題から出発する。すなわち、生産が、そ
して生産のつぎにはその生産物の交換が、すべての社会制度の基礎であ
る」(62頁)。ここから、「すべての社会的変動と政治的変革の究極の原
因は、人間の頭の中に、すなわち、永遠の真理と正義についての人間の
認識の発展に求めるべきではなくて、生産様式と交換様式の変化に求め
るべきである」(62頁)。これが、社会を認識し、社会変革を研究するた
めの基礎です。

　したがって、社会変革のための「手段も、また変化した生産関係その
ものの中に、存在しているに違いないということを意味する」(63頁)。

マルクスやエンゲルス以前の歴史観では、歴史を動かす原動力を現実の中に見出すことができず、偉大な指導者や権力者たちの頭の中の理想や正義感などの理念に求めることが一般的でした。

マルクスやエンゲルスは、歴史を動かす原動力は現実の中に見出すべきであると考えて、生産の仕方（生産様式）と交換の仕方（交換様式）の変化こそ歴史を動かす原動力であるということを発見しました。

これはマルクスとエンゲルスの若い時の共著『ドイツ・イデオロギー』で詳細に検討し、立証されているところです。この立場からエンゲルスは、資本主義の生成と発展の必然性とその没落の必然性を解明しています。

（2）資本主義的生産様式の発生の必然性

資本主義社会以前には、「したがって中世には、生産手段にたいする労働者の私的所有を基礎とする小経営が全般的に存在した。小さな自由農民または隷属農民の農業、都市の手工業がそれであった。労働手段——土地、農具、仕事場、手工具——は、個人の労働手段であった」（64頁）。「これらの分散した、局限された生産手段を集積し、拡大して、強力に作用する現代の生産の槓(てこ)に変えることが、まさに資本主義的生産様式とその担い手であるブルジョアジーの歴史的役割であった」（65頁）。

しかし「ブルジョアジーは、あの制限された生産手段を個人の生産手段から社会的な、ただ人間の集団によってのみ使用できる生産手段に変えることなしには、あの生産手段を強力な生産力に変えることは出来なかった。紡車や手織機や鍛冶屋の鎚(つち)にかわって紡績機械や力織機や蒸気ハンマーが現れ、個人の仕事場にかわって幾百人、幾千人の協働を必要とする工場が現れた。そして生産手段と同様に、生産そのものが一連の個人的行動から一連の社会的行為に代わり、生産物は個人の生産物から社会的生産物に変わった」（65頁）。

この「社会的生産」という仕組みは、旧来の個人的生産に比べて、極めて強力であったので、急速に発展し、科学技術の発展（いわゆる産業革命）とも相まって、中世の個人的生産を圧倒して行きました。

（3）資本主義の根本矛盾

　資本主義的生産による生産力の発展はとんでもない矛盾をもたらしました。大量の賃労働者が生まれたのです。中世では生産は自家消費と封建君主への現物貢納のためであり、販売するための商品生産は例外的でした。したがって賃労働も例外的で、副業という性格のものでした。

　ところが、「生産手段が社会的生産手段に転化し、資本家の手に集積されるやいなや、これは一変した。小さな個人生産者の生産手段ならびに生産物は、ますます無価値なものになり、個人生産者には資本家のところに行って賃金で雇われるほかには道がなくなった」(69頁)。そして生産物は生産した労働者のものではなく、生産には係わらなかった資本家のものとなることになりました。多数の労働者によって社会的に（共同労働で）生産された生産物は、資本家個人の取得物となるということが始まりました。

　このように、社会的生産にもかかわらず、その成果は資本家によって私的に取得されます。そこには、「労働者の搾取」による資本家の「剰余価値」の取得があります。エンゲルスは、このような「社会的生産と資本主義的取得」とが「資本主義の根本矛盾」をなすと言います。

　こうして、「一方では資本家の手に集積された生産手段と、他方では自分の労働力以外には何も持ち物がないようにされた生産者の間の分離が完了した。社会的生産と資本主義的取得との矛盾が、プロレタリアートとブルジョアジーの対立として、あかるみにでてきた」(70頁)とされます。

　また、資本家は個々の工場内ではきわめて組織的に生産するにもかかわらず、社会全体では相互に競争し合う商品生産を行い、「生産の無政府状態」がおこります。ここにもエンゲルスは、資本主義の根本矛盾のあらわれを見ています。こうして、プロレタリアートとブルジョアジーとの対立と、個々の工場での生産の組織化と社会における生産の無政府性とが、「社会的生産と資本主義的取得」という「根本矛盾」が目に見える姿であらわれた「２つの現象形態」(74頁)です(**注２**)。

（4）階級対立の深刻化

　資本主義の矛盾は、先の「根本矛盾」と「２つの現象形態」にはとどまりません。エンゲルスはマルクスの『資本論』にもとづきながら、労働者階級と資本家階級との階級対立の深刻化と、資本主義社会の矛盾の深刻化を明らかにします。

　機械制大工業は、次々に機械を改良し、この「機械の改良は、人間労働を余分なものにする」（74頁）。こうして大量の失業者（産業予備軍）を生み出し、それがまた労働者の低賃金をもたらすことになります。ここからエンゲルスは、「この法則は、資本の蓄積に照応する貧困の蓄積を条件づける。したがって、一方の極における富の蓄積は、同時に、その対極における、すなわち自分自身の生産物を資本として生産する階級の側における、貧困、労働苦、奴隷状態、無知、野蛮化、および道徳的退廃の蓄積である」（76頁）というマルクスの『資本論』における言葉を引いています。

（5）全般的恐慌の発生

　資本家は、機械を改良し、生産性をあげることなしには、資本主義的競争に勝利することが出来ません。それによって資本は巨大な生産力を生み出しました。それに対して消費と販売、および市場の拡大は限定的です。生産の膨張に対して、市場の膨張は追いつきません。やがて資本家が作り出した商品が売れないという過剰生産の現象（不況）が起こり、やがて周期的な「全般的恐慌」（77頁）が起こるようになります。資本家がもうけようとして、生産に励めば励むほど、不景気が深刻化するという「悪循環」が起こります。

　このような事態に直面して、資本家は資本主義的生産関係の内部で可能な限り、これをコントロールしようとして、「株式会社」という組織を作ったり、「トラスト」という「生産の規制を目的とする結合体」（80頁）を作ったりしますが、うまくいくわけがありません。

　「最後には、資本主義社会の公式の代表者である国家が生産の管理を

引き受けなければならない」(81頁)。いわゆる「国有化」ですが、資本主義のもとではこれもうまくいくわけがありません。「恐慌が、ブルジョアジーには現代の生産力をこれ以上管理する能力がないことを暴露したとすれば、大規模な生産施設と交通施設が株式会社やトラストや国有に転化したことは、その目的のためにはブルジョアジーがなくてもよいことを示している」(83頁) ということです。

（6）資本主義社会の矛盾の解決

　資本主義社会にとどまる限り、資本主義社会の深刻な矛盾は解決できません。その矛盾の解決のためには、「根本矛盾」を形成する「資本主義的取得」を変革する必要があります。この点についてエンゲルスは次のように言います。

　「この解決はただ、現代の生産力の社会的性質を実際に承認し、したがって生産様式、取得様式、交換様式を生産手段の社会的性格と調和させるということのうちにしかありえない。そしてこのことは、社会がみずから管理する以外にはどのような管理も手におえないまでに発達した生産力を、社会が公然と、率直に掌握することによってのみ、行うことができる」(84頁)。

　つまりみんなで作った生産物はみんなのものであるから、みんなで管理するということです。それは同時に、資本家と労働者という差別と対立そのものをなくすことでもあります。「プロレタリアートは、プロレタリアートとしての自分自身を廃棄し、それによってプロレタリアートはすべての階級差別と階級対立を廃棄し、またそれによって国家としての国家を廃棄する」(86頁) といわれています。これが社会主義思想の基本です。

　そして科学的社会主義は次のような展望をもちます。「これまで歴史を支配してきた客観的な、外的な力は、人間自身の統御のもとにはいる。そのときからはじめて、人間は自分の歴史を十分に意識して自分で作るし、そのときからはじめて、人間に作用させられてきた社会的諸原因は、ますます大きな度合いで人間の欲したとおりの結果をもたらす。それは、

必然の国から自由の国への人間の飛躍である」（92頁）。

　資本主義社会では労働者の搾取や階級対立などの必然性が支配してきました。しかし、資本主義のもとで発展する「社会的生産」にふさわしく、生産手段を「社会的所有」に変革することによって、階級対立を廃棄し、社会的生産を人間が意識的に管理し制御することができます。そして民主主義の発展によって国家権力も廃棄することができます。これが「必然性の国」から「自由の国」への人間の飛躍です。

　またエンゲルスは次のようにも言います。「人間は、彼らの独自な仕方による社会化の主人になり、それによって同時に自然の主人に、自分たちの主人になる——すなわち自由になる」（95頁）。

　人間は、社会を共同の力で合理的に制御することによって、自然を合理的に制御することができます。こうして、自然に対しても社会のなかでも人間が主人公となり人間の自由を実現することができるのです。

　このような事業をなしとげることが「近代のプロレタリアートの歴史的使命」です（95頁）。このことを明らかにするのが、科学的社会主義の任務なのです。

注
注1　トマス・モア『ユートピア』（1516年）は「ユートピア」（どこにもない場所）として共産主義的な理想社会を空想的に描きました。その後も理想社会としての社会主義・共産主義を空想的に描く多くの理論が生まれました。ここからエンゲルスは、科学的社会主義に先立つ社会主義思想を「ユートピア的（＝空想的）社会主義」と呼びました。
注2　根本矛盾と現象形態とは「本質は現象する」という弁証法的な関係にあります。労働者の搾取による「資本主義的取得」はマルクスによって理論的に解明された資本主義の本質です。これにもとづいてエンゲルスは「社会的生産と資本主義的取得」を資本主義の「根本矛盾」ととらえました。この矛盾は、より具体的に「プロレタリアートとブルジョアジーの階級対立」や「工場内での組織的生産と社会における無政府的生産」として、目に見える姿であらわれます。これを「現象形態」というのです。

第6章

唯物論、弁証法、史的唯物論
──『フォイエルバッハ論』から学ぶ

牧野 広義

はじめに

　エンゲルス『フォイエルバッハ論』は、科学的社会主義の哲学の古典
として広く読みつがれてきました。その魅力は、マルクスとエンゲルス
の唯物論や弁証法がどのようにして形成されたかを大変分かりやすく説
明されていることです。ぜひ皆さんも読んでみて下さい。そのさい、ヘ
ーゲルやフォイエルバッハらの哲学への批判はとりあえず読み飛ばして
もよいと思います。エンゲルス自身の積極的な主張を読みとることが重
要です。

　『フォイエルバッハ論』の正式の書名は『ルートヴィヒ・フォイエル
バッハとドイツ古典哲学の終結』です。この本は、もともと、デンマー
クのシュタルケがドイツで出版した『ルートヴィヒ・フォイエルバッ
ハ』（1885年）という本の書評として雑誌『ノイエ・ツァイト〔新時
代〕』に発表されたものです。これを単行本として1888年に出版するさ
いに、エンゲルスはマルクスの若い頃の手帳から「フォイエルバッハに
かんするテーゼ」を発見して、これを付録としました。

フォイエルバッハ（1804〜1872）は、当時のドイツで支配的な思想で
あったヘーゲル哲学やキリスト教を批判して、人間主義的な唯物論を提
唱しました。フォイエルバッハはマルクスやエンゲルスに大きな影響を
与えました。エンゲルスは、シュタルケの本を手がかりにして、自らが
体験したフォイエルバッハへの感激と批判、およびドイツ古典哲学の終
結を論じています。

　この本は4つの章からなります。第1章では、ヘーゲルの後にフォイ
エルバッハが登場して、ドイツ古典哲学が終結した過程が描かれます。
第2章では「哲学の根本問題」が定式化され、唯物論と観念論の対立や、
人間は世界を認識できるかどうかが論じられます。第3章ではフォイエ
ルバッハの宗教論、道徳論が批判されます。第4章では、エンゲルスの
唯物論、弁証法、史的唯物論の思想が論じられます。

　私たちは、科学的社会主義の哲学として、今日でも積極的に学ぶべき
点を中心に見ていきたいと思います。

1　ヘーゲル弁証法の革命性と哲学体系の保守性

（1）ヘーゲル哲学の革命的側面

　エンゲルスは、第1章で、まずドイツ古典哲学の意義を論じます。ド
イツ古典哲学とは、カント（1724〜1804）が開始し、ヘーゲル（1770〜
1831）が完成したドイツの「哲学革命」です。エンゲルスは、この哲学
革命がドイツの1848年の政治革命を準備したと言います。

　ヘーゲルはプロイセンのベルリン大学教授でした。彼の哲学は「プロ
イセンの国定哲学」の地位にありました。しかし、その難解で重苦しい
言葉のなかに、「革命がかくされていた」とエンゲルスは言います（12
頁）。しかもエンゲルスは、このことを、詩人のハインリヒ・ハイネ
（1797〜1856）がすでに1883年に〔翌年に出版された『ドイツ古典哲学
の本質』で〕見抜いていたと言います。

　ハイネはヘーゲルの講義を聴講しました。そして個人的にヘーゲルに
会見したときの記録を残しています。それによると、ハイネは「すべて

のものは理性的である」というヘーゲルの言
葉について不満を述べたそうです。それに対
して、ヘーゲルは笑いながら、「それはまた
"すべての理性的なものは存在しなければな
らない"とも言えるでしょう」と述べて、あ
わてて周りを見たそうです。しかしそこには
一人の友人しかいなかったので、ヘーゲルは
安心したようでした（注1）。

ヘーゲル

　ここで問題になっているのは、「理性的な
ものは現実的であり、現実的なものは理性的
である」という、ヘーゲル『法の哲学』「序文」にある言葉です。ヘー
ゲルは、プロイセンの首都であるベルリンの大学で講義をし、『法の哲
学』では「国家」も論じています。そのため、多くの人はヘーゲルが当
時のプロイセン国家を「理性的で現実的なもの」として賛美したと理解
しました。

　しかし、ハイネの報告は、「すべてのものは理性的である」という言
葉の裏で、逆にすべての「理性的なもの」こそが「存在しなければなら
ない」というヘーゲルの本音を伝えています。ヘーゲルはこの本音がも
れては困ると思って、あわてて周りを見たのでしょう。

　エンゲルスもハイネのこの話を知っていたと思われます。エンゲルス
も、先の「理性的なもの＝現実的なもの」という命題をとりあげます。
そのさい、ハイネと同様に、「理性的なもの」や「現実的なもの」に、
ヘーゲルの原文にはない「すべての」という言葉を付け加えています。
そしてエンゲルスは、「ヘーゲルにあっては、けっして、現存するもの
が、そのまますぐさま現実的であるのではなかった」（13頁）と言いま
す。ヘーゲルにとって理性的で現実的なものとは、必然性をもつものに
こそあてはまるのです。

　このような思想から言えば、フランスにおける絶対王政もかつては現
実性であったけれども、革命の起こった1789年には現実性でなくなった
のです。かつては現実性であったものも、その発展のなかで、非現実的

になり、その必然性を失うのです。そして「死んでいく現実的なものの
かわりに、新しい生命力のある現実性があらわれてくる」(14頁)。言い
換えれば、「すべての現存するものは滅亡に値する」(15頁)。これがヘ
ーゲルの弁証法であり、ヘーゲル哲学の革命的側面です。

（2）ヘーゲル弁証法と哲学体系との矛盾

　エンゲルスは、ヘーゲル弁証法の意義を強調します。この弁証法によ
れば、現実の歴史も人間の認識も完全な理想状態に達することはありま
せん。すべての歴史的状態は、低いものから高いものへと進んでいく発
展途上における経過的な段階にすぎません。したがって、この弁証法的
哲学は、「究極的な真理」や「人類の絶対的状態」という思想をすべて
解体してしまうのです。

　「生成と消滅の不断の過程、低いものから高いものへのかぎりない上
昇の過程のほかには、なにも存在しない」(17頁)。これがヘーゲル弁証
法からの必然的な帰結です。

　ところが、ヘーゲルの哲学体系では、彼が弁証法を論じた『論理学』
の最後に「絶対的理念」が登場します。これが絶対的真理であって、こ
の真理にもとづいて、ちょうど神が世界を創造するかのように、理念が
「外化」して、自然や精神の世界が「自然哲学」や「精神哲学」として
論じられます。このことをエンゲルスは次のように言います。

　「ヘーゲル哲学の教条的内容の全体が、絶対的真理だと宣言されるこ
とになって、あらゆる教条的なものを解体するところの、彼の弁証法的
方法と矛盾することになる」(19頁)。

　つまり、弁証法的方法と哲学体系とが矛盾するということです。ここ
から、ヘーゲル哲学において、「革命的側面は、それをおおって広がる
保守的な側面のもとで窒息させられる」(同)。こうして、ヘーゲル哲学
の革命的側面は見えなくなるのです。

　ヘーゲル『法の哲学』の国家論でも、絶対的理念の政治的要求として、
世襲制の「君主」のもとに「身分制議会」（商工業者および土地貴族の
代表）と官僚制の「行政府」がおかれる「立憲君主制」が最高のものと

されるのです（20頁）。

（3）ヘーゲル学派の分裂とフォイエルバッハの登場

フォイエルバッハ

このヘーゲル哲学の隆盛の後に、ヘーゲル学派が分裂しました。それは、保守派、中間派、進歩派に分かれます。進歩派は「青年ヘーゲル派」と呼ばれました。マルクスもエンゲルスも一時は「青年ヘーゲル派」に属しました。このなかからフォイエルバッハが登場しました。フォイエルバッハ『キリスト教の本質』（1841年）について、エンゲルスは次のように言います。

「この本は、唯物論をためらうことなく王座につかせた。……それによれば、自然はいかなる哲学からも独立して存在しており、自然が土台であって、その上に、われわれ、つまりそれ自身が自然の産物である人間が、成長してきたのであって、自然と人間のほかにはなにも存在しない。……こうして呪縛は解かれた。"体系"は打ちくだかれた」（27頁）。

この言葉は、フォイエルバッハの本の「解放的作用」と当時のエンゲルスらの「感激」をよく伝えています。しかし、フォイエルバッハは人間の愛を賛美したにすぎず、それは当時のはやりだった「真正社会主義」の"愛による人類の救済"と結びつきました。

こうして、フォイエルバッハはヘーゲルの哲学体系を打ちくだきましたが、その革命的な弁証法を唯物論の立場から継承することはなかったのです。その仕事はマルクスとエンゲルスの課題となりました。

2　哲学の根本問題──唯物論と観念論

（1）哲学の根本問題──精神と物質の関係

エンゲルスは第2章の冒頭で次のように言います。

「すべての哲学の、とくに近代の哲学の、大きな根本問題は、思考と存

在との関係にかんする問題である」（30頁）。

　ここでの「思考と存在」は「精神と自然」とも言いかえられます。またそれは、「精神と物質との関係」の問題とも言われます。この問題にどう答えるかによって、哲学者たちは「二つの大きな陣営」に分かれました（32頁）。

　一方で、「自然にたいする精神の本源性」を主張する人々は、「観念論」の陣営をつくります。観念論の立場では、精神が根源ですから、神のような精神が自然も人間も創造したという主張になります。

　他方で、「自然を本源的なものとみた人々」は「唯物論」の種々の学派に属します。唯物論の立場では、フォイエルバッハも言うように、人間も自然の物質的世界に属し、それが唯一の現実的なものです。人間の精神は脳という高度な物質の産物なのです（38頁参照）。

　では、精神と物質の問題がなぜ「哲学の根本問題」なのでしょうか。エンゲルスは、精神と物質の問題の由来を説明しています。

　古代人は、死とは肉体から霊魂が抜け出してしまうことだと考え、肉体は滅んでも霊魂は不死だと信じました。そして原始宗教では、人間に恵みをあたえたり災害をもたらしたりする自然を神々として崇拝しました。その後、しだいに超自然的な神が想定されて、唯一神による世界創造が主張されました。

　このように、人間は精神と身体（物質）の関係や、精神と自然との関係を考えてきました。人間はつねに意識をもって行動します。しかし自然や社会の現実を無視することはできません。ここから、意識（精神）と自然（物質）との関係が問題になるのです。

　したがって、古代ギリシアの哲学の始まりから、物質を万物の根源と考える唯物論と、精神を根源として考える観念論が対立してきました。唯物論の代表は、「アトム」（原子）が世界の根源であると主張したデモクリトス（紀元前5世紀）です。観念論の代表は、世界の理想的な原型である「イデア」を根源として主張したプラトン（紀元前4世紀）です。プラトンは「イデア」をもとに神が世界を制作したというのです。そしてプラトンはこの対立を、ギリシア神話の「神々と巨人族との戦い」に

たとえました。神々は観念論を、巨人族は唯物論を意味します（プラト
ン『ソピステス』参照）。

　また、近代では、科学の発展や市民革命と結びついた唯物論と、宗
教・芸術などの精神的活動などと結びついた観念論とが対立しました。
近代になると、自我や主観的な意識が根源だという観念論も登場しまし
た。ヘーゲルは、この問題は近代哲学の「大問題」であると言って、
「実在論哲学と観念論哲学」の対立を論じました。ここでヘーゲルの言
う「実在論哲学」とは、意識から独立に実在する物質を世界の根源と考
えますので、唯物論と同じ意味です（ヘーゲル『哲学史講義』「近代哲学
への序論」参照）。

　エンゲルスはこのような歴史をふまえて、「すべての哲学の、とくに
近代の哲学の大きな根本問題」を定式化したのです。

（2）唯物論と観念論への誤解とその批判

　エンゲルスは、観念論か唯物論かという問題は、精神と物質とのどち
らが根源かという問題であって、それ以外の意味をもちこむと混乱が起
こると言います。唯物論と観念論に対する誤解は、フォイエルバッハを
紹介したシュタルケにもありました。

　シュタルケは、「フォイエルバッハは観念論者である。彼は人類の進
歩を信じる」と言い、観念論を「真理や正義への熱中」などと結びつけ
ました（46頁）。ここには、観念論は理想主義であるという誤解があり
ます。他方で、唯物論は物欲主義であるという俗物的な偏見があります。
これらは、観念論と唯物論の本来の意味を歪めた誤解や偏見です。

　エンゲルスはこれらを批判するとともに、フランス唯物論の代表であ
るディドロ（1723〜1784）の名前もあげて、唯物論者こそが「真理と正
義」を追求してきたことを主張します。ディドロは、ダランベール
（1717〜1783）とともに『百科全書』を編集し、「自由・平等・友愛」を
掲げたフランス革命にも影響を与えた唯物論者です。

　唯物論への誤解や偏見を克服することは今日でも重要な課題です。

（3）人間は現実の世界を認識できるか

　エンゲルスは「哲学の根本問題」のもう１つの側面として、人間は現実の世界を認識できるか、という問題をとりあげています。唯物論者は、経験と理論をもとにして世界は認識できると主張します。ヘーゲルのような観念論者も「思考と存在の同一性」を主張します。つまり、神は思考によって自然と人間の存在を創造したのだから、人間も思考によって世界を認識できると主張します。

　他方で、イギリスのヒューム（1711〜1776）やドイツのカント（1724〜1804）は、反対の主張をしました。ヒュームは、人間にとっては感覚の印象だけが確実であって、感覚が示す物の存在も本質も知りえないと言いました。カントは、「物自体」は存在し、人間の感覚を刺激するけれども、「物」の認識は人間の意識がつくるものなので、「物自体」がどのようなものであるかは知りえないと言いました。

　またエンゲルスはイギリスの「不可知論者たち」をあげています。その立場は、「唯物論をこっそりと受け入れながら、人前では否認するという、はにかみ屋のやり方」（36頁）だとされます。ここでは、「不可知論」という言葉を作ったハクスリー（1825〜1895）らが念頭におかれています。ハクスリーは科学者であり、経験を超えたものは「不可知」だと主張しました。同時に彼は、ダーウィンの進化論を強力に擁護して、「ダーウィンのブルドッグ」と自称しました。このような科学者を念頭において、エンゲルスは「不可知論者」は「はにかみ屋の唯物論」だと言ったのです。＊

＊　そこで、「不可知論」も２通りに分かれます。ヒュームやカントの不可知論は
　　観念論と結びつきました。ヒュームの議論から、物質の存在は知りえないのであるから、感覚にあたえられたデータだけが確かだとする実証主義的な観念論が登場しました。また、カントは「私は信仰に余地を与えるために、知識を除去した」（『純粋理性批判』第二版「序文」）と言いました。カントの場合は、「物自体」は知りえないとして、知識を制限することによって、経験的な知識を超えた神の存在や霊魂を信仰できると考えたのです。
　　　その点で、神や霊魂などは知りえないという科学者の「不可知論」と、不可知論から観念論へと向かう哲学者の議論とは区別することが必要です。

　では不可知論はどのようにして克服することができるのでしょうか。エンゲルスは、不可知論に対するもっとも痛烈な反駁は「実践、すなわち実験と産業である」（35頁）と述べて、その例をあげています。19世紀ドイツの化学者は、アカネ草の色素アリザリンの分子構造を明らかにして、それをコールタールから人工的に合成しました。これによってドイツの化学産業は大いに発展しました。また、フランスの天文学者は、ニュートンの万有引力の法則をもとにして、天王星のかなたにある未知の惑星の存在を予測しました。それがドイツの天文学者によって予測どおりに発見されました。これが海王星の発見です。

　つまり、実験や観察による実践が理論の真理性を証明します。そして産業はそれを日々検証しているのです。この点で、『フォイエルバッハ論』の付録になっている、マルクスの「フォイエルバッハにかんするテーゼ」2は、「人間の思考に対象的真理〔客観的真理〕があたえられるかどうかの問題は理論の問題ではなく、実践の問題である」（105頁）と述べています。

　社会についての認識の場合も同様です。経済理論や政治理論などの真理性も、人間が行っている経済活動や政治活動の実践から、理論の真理性が検証されます。

　今日、「ポスト真実」の政治が問題になっています。それは、事実や真実かどうかが問題ではなく、たとえ虚偽であっても、政治家にとって有利な情報だけを重視するというものです。このような「ポスト真実」の政治を克服するためにも、「不可知論」への批判が必要です。

（4）唯物論の批判的精神

　エンゲルスは、第4章に入ったところで、ヘーゲルの観念論からの脱却を語りながら、唯物論の精神をたいへん明瞭に述べています。この唯物論の精神を確認しておきたいと思います。エンゲルスは次のように言います。

　「われわれは現実の世界――自然と歴史――を、先入見となっている観念論的幻想なしに近づくどの人間にも現れるがままの姿でとらえよう

と決心したのである。空想的連関においてではなく、それ自身の連関において把握された事実と一致しないような、どのような観念論的幻想をも容赦なく犠牲にしようと決心したのである。そして、唯物論とは、そもそもこれ以上の意味をもっていない」(69頁)。

ここでエンゲルスは、唯物論の精神を述べています。つまり、観念論的な幻想を批判して、自然と社会の現実をありのままにとらえる思想が唯物論です。人間は常に意識をもって行動します。しかし幻想や空想では現実の生活は成り立ちません。人間は、労働や社会的実践によって現実の生活をつくりあげてこそ、芸術や文化などの精神的な生活も豊かにすることができます。そのためにも、まず現実をありのままにリアルにとらえることが必要です。

また、唯物論は、人間の幸福を現実の世界の中で追求します。それに対して観念論は、人間の幸福は「心がけ」しだいとか、現実世界の問題を「心の問題」にしてしまいがちです。この点で、エンゲルスはフォイエルバッハの宗教論と倫理学を、『フォイエルバッハ論』の第3章で批判しています。

フォイエルバッハは、宗教とは、人間が人間の本質（理性、意志、愛）をもとにして、神をつくり、その神に従属して人間の主体性を喪失するものだと批判しました。ここに、フォイエルバッハの功績があります。しかし、フォイエルバッハは、人間の歴史を宗教の歴史から考える仕方で、宗教という観念的な活動から人間の歴史をとらえました。これは観念論的な歴史観です。またフォイエルバッハは、人間を重視する倫理学を提唱するにしても、「汝ら、たがいに愛せよ」という愛の道徳を説くだけに終わりました。そこには、現実社会のなかでの人間の幸福を実現するという主張がありません。この点をエンゲルスは批判します。

そして、エンゲルスは、唯物論はフォイエルバッハを乗り越えて発展したことを論じます。それが、弁証法的な唯物論であり、社会と歴史についての唯物論です。これが、次テーマになります。

3　弁証法の根本思想

（1）弁証法と反弁証法

　エンゲルスは、『フォイエルバッハ論』の第1章に続いて第4章でも、ヘーゲル哲学の革命的側面である弁証法を取りあげます。それを唯物論的に改作した思想を次のように述べています。

　「世界はできあがった諸事物の複合体としてではなく、諸過程の複合体としてとらえられるべきであり、そこでは、みかけのうえで固定的な事物も、われわれの頭脳にあるそれら諸事物の思想上の映像、つまり概念におとらず、生成と消滅のたえまない変化のうちにあり、この変化のうちで、見かけのうえでのすべての偶然性においても、そしてあらゆる一時的な後退にもかかわらず、結局は一つの前進的発展が貫かれている」（72頁）。

　これが弁証法の根本思想です。それは、世界（自然・社会・人間）の事物が生成し消滅する複合的な過程をとらえ、また見かけの偶然性や一時的な後退のなかにも、前進的発展が貫かれていることをとらえる思想です。こうして、世界の事物の全体的な連関と運動・発展がとらえられます。

　このような弁証法の反対の思想が反弁証法です。ヘーゲルはカント以前の近代の「古い形而上学」を批判しました。＊

＊「形而上学（メタフィジクス）」とは、もともとアリストテレスの著作に付けられた書名です。それは、「自然学（フィジクス）」の「後に（メタ）」置かれた著作です。この「形而上学」は、世界の原理や神や霊魂などを論じる「超（メタ）自然学（フィジクス）」という内容をもちます。それは観念論哲学です。

　ヘーゲルが「古い形而上学」を批判したのは、それには弁証法が欠けていること、つまり、反弁証法の思考であることです。それは世界の事物を固定した不動のものとして独断的にとらえました。それに対して、ヘーゲル自身は弁証法的な「形而上学」を「論理学」として論じました。

エンゲルスは、ヘーゲルの議論から、「旧形而上学」が反弁証法であることをとらえて、反弁証法を「形而上学」と呼んで批判しました。

　しかし同時に、エンゲルスは、事物を固定してとらえる思考方法には、「大きな歴史的正当性」があったと言います。

　「過程が研究されるまえに、まず事物が研究されなければならなかった。ある事物に生じている変化をみとめるまえに、人はまず、その事物がなんであるかを知らなければならなかった」(74頁)。

　この思考方法はとりわけ近代の自然科学で重要な役割をはたしました。それは一般には「分析的方法」と呼ばれます。しかしこの方法は、世界の事物を、バラバラな部分の集合であり、外的な力によって運動し、同じ運動をくりかえす「機械」と見る「機械論」につながったのです。『フォイエルバッハ論』の第2章でも、動物や人間を「機械」ととらえる「動物機械論」や「人間機械論」が批判されています (40頁)。「機械論」が17～18世紀の潮流となっていたのです。

　その意味で、エンゲルスが「形而上学」と呼んだ思考方法は、今日では「機械論」と言った方がわかりやすいでしょう (**注2**)。

（2）自然科学の三大発見と弁証法

　こうして、近代の自然科学は当初は「機械論的」なものでしたが、しかし、自然科学自身の発展から「機械論」を克服する発見が行われました。エンゲルスはそれを「3つの大発見」として論じています。第1は、細胞の発見です。これによって生物の有機体がその連関と発展においてとらえられます。第2は、エネルギー転化の法則です。力学的エネルギー・熱エネルギー・電気エネルギーなどが、その形態の変化と連関においてとらえられます。第3は、ダーウィンの進化論です。これによって、生命の発展（種の進化）が明確にとらえられました。

　こうして、近代の自然科学そのものが弁証法的な世界観を示すようになったのです。すでに、ヘーゲルによって観念論的な仕方でしたが、社会や歴史の弁証法がとらえられました。マルクスはそれを唯物論的な弁証法につくり変えました。そして、自然の領域でも自然科学の発展によ

って弁証法的な自然観が形成されました。こうして、弁証法は、自然・社会・人間を貫く世界観となったのです。

エンゲルスは、「自然は弁証法の検証である」と言い、自然の弁証法を明らかにすることによって、弁証法が豊かな世界観になると考えて、『自然の弁証法』の研究に取り組みました。エンゲルスの生前には「サルが人間になるにあたっての労働の役割」などの論文が出版されただけですが、エンゲルスの死後、『自然の弁証法』の草稿の全体が出版されました。

4　社会と歴史の唯物論──史的唯物論

（1）社会と歴史の唯物論の視点
社会と歴史を唯物論的に把握したことはマルクスの重要な業績です。エンゲルスはこの思想を紹介します。

人間は意識的な目的をもって行動します。この点で、人間は他の自然と異なります。エンゲルスは、「人間は、自分自身の歴史をつくるもの」（80頁）であると言い、「人間を動かすものは、すべて人間の頭脳を通過しなければならない」（83頁）と言います。

しかし歴史は、個々人が思い通りにつくれるものではありません。そこでエンゲルスは言います。「種々な方向にはたらく多くの意志と外界にたいするこれらの意志のさまざまな働きかけの合力が、まさに歴史なのである」（同）。

人間の意志という動機が歴史の「推進力」だとしても、その背景にあるもの、つまり「観念的な推進力の推進力」（82頁）を探求しなければなりません。それは、現実社会の階級闘争です。

すでにブルジョア的な歴史学者たち（ティエリ、ギゾー、ミニエ、ティエール）が、フランスの歴史などに即しながら、土地貴族とブルジョアジー（資本家階級）の階級闘争を論じてきました。＊

＊　エンゲルスがここであげている歴史家のなかで、ギゾーはフランス政府の首相として、1844年にマルクスをパリから追放する命令を出した人物です。ティエ

ールもフランス政府の首相として、1871年にパリ・コミューンを弾圧した人物です。「階級闘争」を語るからといって、革新的な立場とは限らないのです。

その後、ブルジョア階級（資本家階級）とプロレタリアート（労働者階級）のたたかいが歴史の推進力になっています。資本家階級は、封建的な社会体制を打倒して、「新しい生産力」をになう階級として登場しました。しかし、資本主義的な「生産様式」においては、資本家階級は労働者階級と経済的利益において対立します。

この経済的利害をめぐるたたかいを基礎として、政治的支配や法律をめぐる政治闘争も、思想や宗教などをめぐるイデオロギー闘争も展開されて、歴史が前進してゆきます。これが、唯物論的な社会観・歴史観の基本です。

（2）経済・国家・イデオロギー

エンゲルスは、唯物論的な社会観にもとづいて、さらに経済・国家・イデオロギーを論じます。

近代資本主義社会では、マニュファクチュア（工場制手工業）が機械制大工業へと発展しました。ますます多くの人民大衆がプロレタリアートになり、大衆の貧困と、過剰生産による矛盾が現れてきます。

国家は、生産を支配している階級の経済的利益を実現するものです。国家は、社会の「共同の利益」（治安の維持や公共事業など）を実現する機関として登場しながら、支配階級が支配権を行使する権力機関になります。

国家は、資本家が労働者を経済的に支配できる法的秩序を「民法典」などとして定めて、資本家階級の支配を合法化するのです。

イデオロギーは、社会によって規定され、社会に影響をあたえる人間の意識形態です。哲学や宗教は、人間の物質的生活や経済的利害からはほど遠いものに思われます。しかし、それらも時代の産物であり、経済活動を基礎とする社会を反映しています。すでに見たように、イギリスやフランスの唯物論は、市民革命の時代のブルジョアジーの思想の表現

です。ドイツ古典哲学は、ヨーロッパのなかで経済的・政治的に遅れたドイツを近代化するための思想でした。

　エンゲルスは、宗教についても時代とともに変化してきた姿を論じます。それは、自然を崇拝した原始宗教、古代民族がもった民族宗教、ローマ帝国のもとで世界宗教となったキリスト教、中世の封建体制と結びついたカトリック、市民階級の成長とともに現れたプロテスタントによる宗教改革などです。そして、宗教改革と結びついたドイツ農民戦争や、フランス市民革命と結びついたカルヴァン派なども論じられます。宗教は伝来の材料を利用して教義をつくり布教を行いますが、時代の階級関係が、この材料に変化を引き起こすのです。

　以上の議論は、国家やイデオロギーが経済的「土台」に規定されながらも、「上部構造」としての相対的独自性をもち、土台との相互作用を行うというエンゲルスの思想を明らかにするものです。

結論　ドイツの労働運動はドイツ古典哲学の相続者

　エンゲルスは、弁証法的な自然観や社会観・歴史観はヘーゲルの「自然哲学」や「歴史哲学」を終わらせることを論じます。そして、「自然と歴史から追い出された哲学にとって、もしなにかが残るとすれば、それは、純粋思考の領域、すなわち、思考過程の諸法則の理論、論理学と弁証法だけである」（100頁）と言います。

　ここで注意するべきことは、古い哲学は「論理学と弁証法」を残して終結しますが、マルクス・エンゲルスの自然観や社会観・歴史観は、新しい弁証法的な哲学を提示しているということです。その哲学は、科学とともに発展する自然観や社会観・歴史観をもち、そして意識論や認識論、人間尊重の倫理学などをもつ、弁証法的な唯物論です。

　ドイツ古典哲学の終結、および資本主義の発展にともなって、ドイツの知識階級は資本主義を擁護し、国家権力と結びついていきました。それに対して、エンゲルスは、労働者階級こそがドイツ古典哲学の理論的精神を継承していると言います。そして、エンゲルスは『フォイエルバ

ッハ論』の最後で、彼の思想の核心を表現する言葉を述べています。

「労働の発展史のうちに社会の歴史全体を理解する鍵をみとめた新しい流派〔マルクス・エンゲルス〕は、はじめから、とくに労働者階級に期待をかけていた」（102頁）。

その労働者階級がマルクスやエンゲルスの思想を受け入れたのです。エンゲルスは次の言葉で本書を閉じます。

「ドイツの労働運動は、ドイツ古典哲学の相続者である」（同）。

注

注1　ニコリン編『ヘーゲルの同時代人の報告』ハンブルク、1970年、235ページ、参照。ハイネの話は、高田求『マルクス主義哲学入門』新日本出版社、1971年、13頁、でも紹介されています。

注2　最近、科学的社会主義の理論家が「形而上学」という用語を見直しています。不破哲三氏は、マルクスは『哲学の貧困』でプルードンの経済学を「経済学の形而上学」と呼んだことを紹介して、「これは、ヘーゲル流の観念論者だという意味でした」（不破哲三『マルクス弁証法観の進化を探る』新日本出版社、2020年、301頁）と述べています。石川康宏氏は、「形而上学」について、それを「エンゲルスは反弁証法という意味で使うのに対して、マルクスはこれを超感覚的で思弁的な、むしろ観念論に近い意味で用いました」（『経済』新日本出版社、2020年5月号、58頁）と述べています。

第7章

エンゲルスと多数者革命論の形成

山田 敬男

はじめに

　エンゲルスは、亡くなる直前に執筆した「マルクス『フランスにおける階級闘争』1895年版への序文」のなかで、これまでの革命運動の歴史を総括して、少数者革命の時代が終わり、多数者革命の時代へ転換したことを指摘しました。彼は近代の革命をいくつかのタイプに分類します。

　1つは「少数者の革命」です。エンゲルスは、「これまでの革命はいずれも、結局は一定の階級支配を排除して、他の階級支配がこれに代わることであった。しかし、これまでの支配階級はすべて、支配される人民大衆にたいしてわずかな少数者にすぎなかった。で、一つの支配する少数者が打倒されると、他の少数者がこれに代わって国家権力をにぎり、自分の利益に合わせて国家諸機関を改変した。」「そのときどきの革命の具体的内容を度外視すれば、それらの革命の共通の形式は、みな少数者の革命であった」（248頁）と整理します。これは近代の市民革命の場合です。

　2つは、「多数者の本来の利益」のための少数者の革命です。エンゲ

ルスとマルクスが参加した1848年の革命がこれにあてはまります。二人は、ブルジョア革命として出発しながら、急速にプロレタリアートの解放をめざす社会主義革命に発展すると考えていました。この1848年革命を見ると、「どういう方向にこの解放を求めるべきかをいくぶんでも理解していた人は、ほんの少数にすぎなかった」「プロレタリア大衆自身が、パリでさえ、勝利ののちにも、まだとるべき進路について全然わかっていなかった」（249頁）という意味で、無自覚な民衆を少数のリーダーが扇動する少数者革命でした。労働者の解放という「多数者の本来の利益」を目標とする少数者の革命だったのです。

　エンゲルスは、1848年以降の革命運動を総括しながら、「奇襲の時代、無自覚な大衆の先頭にたった自覚した少数者が遂行した革命の時代は過ぎ去った」（261頁）と述べ、民衆が変革の目標とその意味を理解して自覚的に参加する多数者革命の時代になったと強調しています。これからの革命の方向を歴史的にあきらかにしました。これが３つ目のタイプです。

　小論では、マルクスとエンゲルスがどのように少数者革命論を克服し、このようなエンゲルスの「序文」での多数者革命論に到達したかを探ってみたいと思います。なお、小論では、「マルクス『フランスにおける階級闘争』1895年版への序文」は、新日本出版社の古典選書『多数者革命』に収められているものを使用しています。したがって、引用の際に示す出典なしの頁は、古典選書『多数者革命』の頁になります。

1　1848年革命とエンゲルス

（1）共産主義者同盟の発足と『共産主義の諸原理』・『共産党宣言』

　エンゲルスは、マルクスとともに1848年のヨーロッパの革命に共産主義者として積極的に参加しました。２人の共同の仕事である、『聖家族—批判的批判』（1845年２月）で共産主義の立場に立つことをあきらかにし、『ドイツ・イデオロギー』（45年10月から46年夏に執筆）ではその科学的な歴史観である史的唯物論を成立させます。そのなかで、資本主

義社会の矛盾の深まりにもとづき、プロレタリアートを中心とする階級闘争が発展し、共産主義革命が行われること、そのためにプロレタリアートによる政治権力の獲得の必要性があきらかにされていました。そのうえで、二人は共産主義者として運動を開始し、46年初め、ベルギーのブリュッセルに「共産主義通信委員会」を立ち上げ、各国の運動との組織的連携を呼びかけていきます。

このなかで、労働者の活動家で組織されていた国際的組織である「正義者同盟」がマルクス、エンゲルスの呼びかけに応え、二人の参加と協力を訴えたのです。ついに、マルクス、エンゲルスの「ヘーゲル哲学の崩壊から生じた理論的な運動」（『全集』第22巻254頁）＝科学的社会主義の理論と「正義者同盟」の運動に示される労働運動が結合することになりました。

「正義者同盟」は、47年6月に第1回大会を開き、エンゲルスのみが参加し、同盟の名称が「共産主義者同盟」に変更されます。スローガンもこれまでの「人間はみな兄弟だ！」から「万国のプロレタリア、団結せよ！」と階級的立場を鮮明にしました。綱領についても、この大会で「共産主義的信条表明草案」が暫定的結論として作成されます。これはこれまでの「正義者同盟」の考えとマルクス・エンゲルスの考えが併存しているものでした。大会後のこの「草案」の討議の過程で、エンゲルスが新草案として書いたのが『共産主義の諸原理』です。

さらに、同年11〜12月に第2回大会が開かれ、この大会にはマルクス、エンゲルスがそろって参加しました。第2回大会の中心議題は綱領問題です。熱心な討議を通じて、マルクス、エンゲルスの共産主義の原則的考え方が大会の全代議員に受け入れられます。そして、綱領でもある「宣言」の起草が二人に委託されたのです。こうして、世界で初めての共産主義組織の「綱領」である『共産党宣言』が48年の2月革命の勃発直前に刊行されることになりました。

（2）1848年革命と革命論の発展

1848年2月、パリで革命が勃発します。選挙権拡大運動が全国に広が

り、パリでは市民が各所にバリケードを築きます。弾圧のために出動する軍も戦意を喪失して、民衆の側につきます。国王フィリップはパリから逃げ出し、王制が倒れて共和制が復活しました。街頭で中心となったのは労働者ですが、「友愛」をスローガンとし、共和制を実現したブルジョア革命でした。革命は、3月にオーストリアのウィーン、プロイセンのベルリンに波及し、さらに、イタリア、ハンガリーに広がります。革命がヨーロッパ中に波及しました。オーストリアでは、宰相メッテルニヒが国外に逃亡し、プロイセンでは首都ベルリンで民衆が立ち上がり、バリケードと市街戦で民衆側が勝利し、改革派ブルジョアジーの政権が誕生しました。マルクスとエンゲルスは『共産党宣言』のなかで、「ドイツはブルジョア革命の前夜」であり、「プロレタリア革命の直接の序曲」（古典選書『共産党宣言／共産主義の諸原理』108頁）と位置づけていましたが、さらに、「ドイツにおける共産党の要求」をまとめます。そこには、「一、全ドイツは、単一不可分の共和国である」「二、二一歳に達したドイツ人はすべて、選挙権と被選挙権をもつ」「六、これまで農民を苦しめてきた、あらゆる封建的負担、あらゆる貢租、賦役、十分の一税等は、なんらの補償なしに廃止される」（『全集』第5巻3頁）が明記されています。幾つもの諸国家に分かれているドイツを統一し、男女すべての普通選挙権を要求し、「あらゆる封建的負担」に反対したのです。こうした政策綱領を持って、2人はドイツにもどったのです。

　帰国した2人は、ケルンに本拠を構え、『新ライン新聞』を48年6月から刊行します。編集の全体はマルクスが仕切り、エンゲルスによれば、「この新聞が革命期のドイツの最も著名な新聞になったのは、第一に彼の明晰な識見と確固たる態度とのおかげであった」（『全集』第21巻19頁）といいます。また、毎号の論説の執筆は主にエンゲルスが担当しました。マルクスは彼を「全く百科事典みたいな奴」（『全集』第28巻483頁）と評価しています。

　ドイツの最大の国であるオーストリアとプロイセンでは3月革命により、ブルジョアジー中心の政府が生まれ、王権は一時的に後退していました。プロイセンでは、新しい憲法をつくる議会も選出されていたので

す。王権はまだ残っていましたが、ブルジョア政府がその気になれば、王権（絶対主義的君主制）の支配を根本から打破する可能性もあったのです。ところが、ブルジョア政府は有効な改革を何もしなかったのです。

『新ライン新聞』は、革命を前進させる立場から、ブルジョア政府の妥協的な姿勢を徹底的に批判します。この論戦のなかで、マルクス、エンゲルスは、革命権力のあり方として、「執権」という概念を提起しました。48年6月7日の論説で、「もはやどんな政府も存在していないのなら、国民議会自身が統治すべきである。」「国民議会は、老朽した諸政府の反動的な侵害にたいして、どこまでも執権者として対抗しさえすればよかったのだ。そうすれば議会は、人民の世論のなかに、どんな銃剣も銃床尾もうちくだく力を獲得しただろう」（『全集』第5巻36，37頁）とのべています。革命のなかで権力を握りながら、王権派に妥協してやるべき改革をやらないブルジョア政府に対して、「執権者」として断固として改革を実行すべきと主張したのです。マルクスとエンゲルスは、革命権力の本質的性格を「執権」という概念で表現しました。「執権」には、革命政府が古い権力に左右されることなく、全権限を持つ権力として行動すべきという意味があったのです。革命後に、マルクスとエンゲルスは、社会主義革命で樹立される権力を「プロレタリアートの階級的執権」と規定します（『全集』第7巻86頁）。革命直前の『共産党宣言』では、「ブルジョアジー支配の転覆、プロレタリアートによる政治権力の獲得」（前掲古典選書72頁）という表現でしたが、1848年革命のなかで、大きく発展しました。

（3）革命の敗北と20年にわたる別々の生活へ

48年6月、パリで労働者階級を中心とする反乱が起きます。いわゆる「6月革命」です。2月革命の時は、市民も、ブルジョアジーも、労働者も一緒にたたかい、王制を倒し、共和制を実現しました。今度の革命は単なる政治革命ではなく労働者や民衆の生活苦や失業などの社会問題の解決を図る「社会共和制」の実現をめざすといわれていたのです。実際は失業者対策として「国立作業所」をつくっただけで、労働者や民衆

の期待を裏切り続け、「国立作業所」も閉鎖してしまいます。それに怒った労働者が経済的な独自の要求を掲げて決起したのです。労働者の決起はパリ全市に広がりましたが、労働者が単独で大規模に決起したのはヨーロッパで初めてのことでした。市街戦は3日間続きますが、残忍な大弾圧によって、反乱は敗北します。オーストリアとプロイセンでも、王権（絶対主義勢力）が本格的な反抗を開始し、プロイセンでは、48年12月には王権がベルリン国民議会を解散したのです。

　マルクスとエンゲルスは、こうした反革命の勝利という事態のなかで、『新ライン新聞』を舞台に、ドイツ革命の新たな転機が生まれると革命運動の継続を訴えたのですが、事態は2人の予測を裏切って、革命の敗北を決定的にします。49年8月、マルクスはロンドンに亡命し、エンゲルスも遅れて、11月にロンドンへ亡命しました。革命の敗北は現実のものになっているのですが、彼らは敗北が一時的なものだと再起を考え、1850年1月、雑誌『新ライン新聞。政治経済評論』を刊行します。しかし、50年の夏頃、「革命期の第一局面は終わった」（強調点、原著者）という結論（247頁）を出したのです。そして、50年11月、2人がロンドンとマンチェスターに分かれて生活することになります。エンゲルスは、マルクスの生活費を援助するため、マンチェスターの父親の会社で経営者としての生活を始めます。マルクスは、ロンドンで、革命を準備するために本格的な経済学の研究に取り組みます。およそ20年にわたる2人の別々の生活が始まったのです。

（4）「幻想」であったと総括している当時の革命観の特徴

　それでは、1848年革命に、マルクスとエンゲルスはどのような革命構想を持って参加していたのでしょうか。エンゲルスは「序文」のなかで、次のように述べています。

　「二月革命が勃発したときは、われわれすべてのものが、革命運動の条件や経過についてのわれわれの考えにおいて、それまでの歴史的経験に、とくにフランスの歴史的経験に、とらわれていた。このフランスの歴史的経験こそは、まさに一七八九年以来の全ヨーロッパの歴史を支配

してきたものであり、こんどもまた全般的変革への信号がそこから発せられてきたからだ。」（246頁）

　この「フランスの歴史的経験」とは1789年のフランス革命のことであり、革命のイメージはフランス革命の経験によって考えられていたのです。革命は政党などによって事前に組織され、準備されるのではなく、何かをきっかけに民衆が自然発生的に立ち上がり、革命の進行のなかで鍛えられ、革命の主体が形成され、革命が行われると考えていました。多くの民衆が革命に参加し、古い支配階級を倒しても、その成果は「経済的発達の状態によって支配しうる能力を得、支配の使命をもたされた少数者の集団」のものになったと指摘します。多くの民衆が参加しても、それは「少数者に奉仕したにすぎない」のであり、その「革命の共通の形式は、みな少数者の革命」であったのです。これが近代の市民革命の特徴でした。そして、エンゲルスが述べているように、この近代革命の特徴は、「どんな革命的闘争とも不可分のようにみえた。それはプロレタリアートの自己解放のための闘争にもあてはまるようにみえた」（249頁）のです。

　『共産党宣言』のなかで、ドイツやフランスなどヨーロッパの当面する革命は、王制を倒し、近代統一国家を樹立するなどブルジョア革命と指摘されていますが、同時に「プロレタリア革命の直接の序曲」と宣言されています。1848年革命はフランス革命と違い、資本主義の限界と危機が深刻になっており、ブルジョア革命として始まっても、急速にプロレタリア革命に転化し、社会主義革命の勝利で終わらざるを得ないと考えていました。エンゲルスは、「序文」のなかで「われわれにとっては、当時の情勢のもとでは、次のことは疑いの余地がありえなかった。すなわち、偉大な決戦が始まったこと、この決戦はただ一つの長期の、変転に満ちた革命期をつうじてたたかいぬかれなければならないこと、しかしそれはプロレタリアートの究極の勝利をもってのみ終わりうるものであること」（247頁）とのべています。重要なことは、この社会主義を展望する1848年革命もフランス革命流に考えていたのです。先ほど紹介したように、「多数者の本来の利益」のための少数者革命です。

さらに、当時の2人の革命観の特徴は、経済的恐慌と革命を直接的に結びつけて考えていたことにありました。1848年革命も、前年47年にイギリスで起きた恐慌がヨーロッパに波及し、その上で48年革命が必然的に起きたと考えていました。48年革命の敗北が現実のものになっても、マルクス、エンゲルスはこの現実が一時的後退に過ぎず、イギリスの恐慌がヨーロッパ経済の矛盾を激しくし、やがてたたかいが再び高揚すると確信していました。しかし、イギリス経済が好況に転化し、労働者の運動が高揚しないなかで、先ほども述べたように、1850年の夏頃、「革命期の第一局面」は終わったという結論を出したのです。しかし、2人は、恐慌が再び来る10年ぐらいの長期の展望のなかで革命の「第二局面」を期待していました。二人は、「新しい革命は新しい恐慌につづいてのみ起こりうる。しかし革命はまた、恐慌が確実であるように確実である」（強調点、原著者、『全集』第7巻450頁）と考えていました。その後、1857年に恐慌が訪れたのですが、革命は起こりませんでした。恐慌と革命を直結させる2人の革命観は破綻し、革命観の根本的再検討が避けられなくなります。エンゲルスは、「序文」のなかで、「歴史はわれわれの考えをまた誤りとし、当時のわれわれの見解が1つの幻想であったことを暴露した」（247 – 248頁）と率直に振り返っています。

2　革命観の転換と多数者革命論の本格的探究

（1）資本主義観と革命観の転換

　やがて、マルクス・エンゲルスの革命観が転換します。この革命観の転換は、彼らの資本主義観の転換と結びついていました。この転換がどうして可能になったのでしょうか。

　第1に、全ヨーロッパで産業革命が行われたことです。1848年革命の頃のヨーロッパを見ると、イギリスは、18世紀後半から産業革命が起こり、工業化に成功していましたが、その他のヨーロッパ諸国は産業革命以前であり、1848年革命時の労働者は、ほとんどが職人的労働者であり、近代的工業労働者が形成されていませんでした。エンゲルスは、「序

文」のなかで、「歴史は、われわれおよびわれわれと同じように考えた
すべての人々の考えを誤りとした。歴史は、大陸における経済発達の水
準が、当時まだとうてい資本主義的生産を廃止しうるほどに成熟してい
なかったことを明白にした。歴史は、これを一八四八年いらい全大陸を
まきこんだ経済革命によって証明した」(250頁) と述べています。2人
の革命観の前提になる資本主義観が「誤り」であったと率直に語ってい
ます。

　当時のヨーロッパの経済水準は社会主義革命を可能にするほど発達し
ていなかったのです。フランスでは、1848年革命後のボナパルト帝政の
時代 (革命3年後に、ナポレオンの甥であるボナパルトがクーデターを起こ
し、52年に皇帝になります) に、ドイツでは"鉄血宰相"と言われたビ
スマルクの時代 (1866年のプロイセンとオーストリアの戦争でプロイセン
が勝利し、プロイセンを中心にドイツは統一します。この先頭に立ったのが
ビスマルクでした) に産業革命が進行したのです。

　エンゲルスは「産業革命こそ、いたるところで階級関係をはじめては
っきりさせ、…略…ひきついだ多くの中間的存在を除去して、ほんとう
のブルジョアジーとほんとうの大工業プロレタリアートを生みだし、彼
らを社会発達の前面へ押しだしたので」す、と指摘しています。工業プ
ロレタリアート中心の労働運動の段階が訪れたのです。しかし、その
「強力なプロレタリアート軍さえも、いまだにその目標を達成していな
い。しかもいま彼らが一度の打撃で勝利を獲得することは思いもよらず、
きびしい、ねばり強い闘争によって一陣地より一陣地へと徐々に前進し
なければならないとすれば、そのことは、一八四八年にたんなる奇襲に
よって社会改造に成功することがいかに不可能であったかを、決定的に
証明する」(251頁) と語っています。

　第2に、マルクスの『資本論』研究の進展のなかで、恐慌の仕組みを
発見したことです。マルクスは、1863年～65年にかけて、「資本論」第
1部から第3部の草稿を執筆しました。そして、1867年9月、『資本
論』第1巻を出版します。『資本論』研究のなかで、恐慌は、資本主義
の体制的危機の爆発でなく、周期的に起きる経済現象であることがあき

らかにされ、体制的危機に直結するものでなく、資本主義の上向きの発展のなかでも起きることが解明されたのです。こうして、恐慌と革命を直結する立場を完全に克服しました。

　1864年に国際労働者協会（第1インターナショナル）が創設され、マルクスも執行部の一員として活躍し、やがて中心的役割を果たすことになります。マルクスは、「創立宣言」「規約」を執筆し、インターナショナルの諸方針の大半を執筆するなどの活躍をします。国際労働者協会の活動を通じ、社会変革の主体としての労働運動の発展に確信を持ちます。こうした体験を得て、かつての少数者革命路線から労働運動を軸とする多数者革命への転換が進みます。『資本論』の研究や国際労働者協会における労働運動の組織化の経験などが重なり合い、1860年代から70年代にかけて、マルクス、エンゲルスは、恐慌に基礎を置く少数者革命路線から、労働運動の組織化を軸に置いた多数者革命路線への大転換と本格的な探究を開始したのです。

（2）労働者党による普通選挙権活用の開始

　1871年のパリ・コンミューンの敗北によって、労働運動は「最終的にほうむりさられた」と思われていましたが、逆に70年代には労働運動の力強い発展が見られました。第1インタナショナルは、1872年のオランダ・ハーグの大会でヨーロッパでの活動を終了しますが（正式の解散は1876年）、その遺産を受けついで、70年代の労働運動の前進が見られたのです。とくに、フランスに代わってドイツの労働運動が急速に前進します。ドイツでは、1866年のプロイセン＝オーストリア戦争で、プロイセンが勝利し、ドイツ統一の第一歩として「北ドイツ連邦」ができると、普通選挙権による「北ドイツ連邦議会」が設置されます。ビスマルクは、戦争に対する民衆の支持を得るために普通選挙権に基づく議会の設置を公約し、その公約の実施を余儀なくされたのです。これは、1848年の革命が敗北して以来、ヨーロッパの先進国では初めてのことでした（フランスでは、1876年に普通選挙が始まります）。当時ドイツには2つの労働者党が存在していました。1つは、ラサール派の「全ドイツ労働総同

盟」です（1863年創立）。もう1つは、1869年に結成された「社会民主労働党」です。ラサール派に反対し、一線を画していました。ドイツ中部のアイゼナハという都市で結成されたので、アイゼナハ派とよばれていました。この党はマルクスとの関係が深く、第1インタナショナルに加盟した最初の政党です。67年8月に選挙が行われると、アイゼナハ派も、ラサール派も候補者を立ててたたかい、アイゼナハ派4人、ラサール派2人が当選します。労働者党から、普通選挙を活用して、歴史上初めて国政の議員が誕生したのです。エンゲルスは、『ドイツ農民戦争』の第2版の「序文」のなかで、「フランス人もイギリス人も今日までまだ労働者や労働者の代表を議会に送り込むことができないでいるのに、ドイツの労働者だけがそれを成しとげたのは、彼らにとって最高の名誉である」（強調点、原著者、45頁）と述べています。

　フランスとの戦争（1870-71年）に勝利したドイツは、1871年に諸国家を統合してドイツ帝国をつくりあげ、「北ドイツ連邦議会」は「ドイツ帝国議会」に発展します。

　帝国議会の最初の選挙は1871年ですが、選挙のたびに労働者党は前進し、とくに、2つの党が合同するゴータ党大会（1875年）以後になると、大きく躍進します。この躍進に驚いたビスマルク政権は、1878年10月、「社会主義者取締法」を制定させ、社会民主労働党を事実上、非合法状態に追い詰め、大きな打撃を与えますが、ドイツの労働運動はこの困難を打開し、やがて再び前進を開始し、1890年2月の選挙では、142万の得票、35議席を獲得します。そのたたかいのなかで、90年1月の帝国議会で「社会主義者取締法」の延長法が否決され、ビスマルクも同年3月、辞任に追い込まれたのです。

　しかし、当時のドイツは皇帝が絶対的権力を持ち、政府や法律をつくるのは議会ではなく皇帝の権限であり、議会は国政に関する問題の審議だけが認められるに過ぎませんでした。その意味で議会は普通選挙で選ばれても政府をつくるなどの権限がなかったのです。したがって、労働運動が議会をつうじて政府をつくり、革命をめざすことなど全く不可能であり、問題になりませんでした。そこが、議会をつうじて民主的政府

を樹立させる可能性を持つ今の日本と決定的に違っていました。

（3）普通選挙と議会活動の意義の考察

　労働者党の普通選挙や議会の活動は世界で初めての経験でした。今、述べたように、ドイツでは議会の権限が大きく制限されていましたが、それにもかかわらず、ドイツ労働者党の経験は、革命運動における普通選挙と議会の活用の道を切り開くものといえたのです。

　ドイツの普通選挙と議会のたたかいはヨーロッパの労働者党に大きな影響を与えていきます。エンゲルスは、「序文」のなかで、このドイツの労働者のたたかいの意味に関して、「彼らは、万国の同志に、ドイツの労働者は、普通選挙権はどう使われるものかを、万国の同志に示して、彼らに一つの新しい武器を、もっとも鋭い武器の一つを、供給したのである」（255頁）と述べています。

　そのうえで、エンゲルスは、マルクスが執筆したフランス労働党綱領で言われる「欺瞞の手段であったものから、解放の道具に転化させた」（101頁）ということばを引きながら、あらためて普通選挙権の意義を次のように整理したのです（256-257頁）。

　1つは、「われわれが三年ごとに味方の人数を数えられるようにしてくれたこと」「われわれ自身の人数もすべての反対党の人数も正確に知らせてくれ、それによってわれわれの行動の釣り合いを保つうえでまたとない基準を与え、われわれを時宜をえない躊躇逡巡と、同じく時宜をえない蛮勇から守ってくれたこと」を指摘しています。革命勢力と反革命勢力の力関係の測定が可能になったのです。

　2つは、「選挙の扇動という形で、人民大衆がまだわれわれより遠ざかっている場所では彼らと接触する絶好の手段を与え」「またすべての党派が、われわれの攻撃にたいして全人民のまえで彼らの意見と行動とを弁護せざるを得ないようにする」と述べています。選挙によって、多くの民衆に宣伝が可能になり、すべての党派と民衆の前で、論戦ができるようになるというのです。

　3つは、普通選挙権によって、「国会内のわれわれの代表者に、新聞

や集会でおこなうのとはまったく別の権威と自由をもって、議会内の敵
や議会外の大衆に話しかけることができる演壇をひらいてくれたのだ」
といいます。

4つは、「各邦議会や市町村議会や産業仲裁裁判所の選挙」に参加す
るなど、「労働者階級がそれを利用してこの国家機関そのものとたたか
うことのできる、さらにもっと多くの手がかりを与えるもの」というこ
とがわかったというのです。重要なこととして、「その選任についてプ
ロレタリアートのかなり大きな部分が投票権をもっている部署であれば、
どんな部署をもブルジョアジーと争った。そこで、ブルジョアジーと政
府は、労働者党の非合法活動よりも合法活動をはるかにおそれ、反乱の
結果よりも選挙の結果をはるかに多くおそれるようになった」といって
いることです。エンゲルスは、「そのわけは、この点でも闘争の条件が
根本的に変わってしまっていたからである。あの旧式な反乱、つまり
1848年まではどこでも最後の勝敗を決めたバリケードによる市街戦は、
はなはだしく時代遅れとなっていた」からだと述べています。1870年代
から90年代にかけてのドイツの労働者党を中心とする普通選挙と議会で
の多数派をめざすたたかいの蓄積が、1848年までのフランス革命型の少
数者を中心とする古い革命方式を転換させ、多数者の結集による革命方
式の可能性を切り開いていったのです。

（4）民主的共和制

マルクスとエンゲルスは、多数者革命の路線を深めるなかで、そのた
たたかいが行われ、労働者が権力を獲得する政治形態に関する検討を深め、
具体的には民主共和制の意味を発展させました。エンゲルスは、ドイツ
の党のベルンシュタインへの手紙で次のように語っています。

「封建制とブルジョアジーの闘争が、古い絶対王制のもとでではなく
て、立憲君主制（イギリス、一七八九－九二年および一八一五－三〇年の
フランス）のもとではじめて決着がついたように、ブルジョアジーとプ
ロレタリアートとの闘争は共和制のもとでのみ決着がつけられるのです。
したがって、フランス人が恵まれた諸条件と過去の革命的な歴史とに助

けられて、ボナパルトを打倒し、ブルジョア共和制をかちとったとすれば、半封建制とボナパルティズムの混濁のなかに落ちこんでいるわれわれにくらべて、フランス人は有利です。その有利な点とは、闘争がたたかい抜かれなければならない形式をすでにもっていることであって、われわれはその形式をこれからようやくかちとらなければならないのです。」（強調点、原著者、『全集』第36巻48頁）

　ここで、エンゲルスは「ブルジョアジーとプロレタリアートとの闘争は共和制のもとでのみ決着がつけられる」といい、階級「闘争がたたかい抜かれなければならない形式」と説明しています。マルクスも、「ドイツ労働者党綱領に対する評注」のなかで、「ブルジョア社会のこの最後の国家形態においてこそ、階級闘争が決定的にたたかいぬかれなければならない」（古典選書『ゴータ綱領批判／エルフルト綱領批判』45頁）と指摘しています。

　また労働者階級が階級闘争に勝利した後の国家形態に関して、エンゲルスは、「わが党と労働者階級は、民主共和制の形態の下においてのみ、支配権を得ることができる、ということである。この民主共和制は、すでに偉大なフランス革命が示したように、プロレタリアートのディクタトゥールの特有の形態でさえある」（同上94頁）と述べています。多数者革命論と結びついた労働者階級の国家の形態が深められたのです。

（5）エンゲルスの革命運動の総括—『フランスにおける階級闘争』への「序文」

　こうした革命観の転換に基づく、多数者革命の路線を近代革命の歴史的総括を踏まえて理論的にあきらかにしたのが、エンゲルスの「マルクス『フランスにおける階級闘争』1895年版への序文」です。この「序文」が発表されたのが1895年4月で、エンゲルスが亡くなるのが同年8月5日ですから、死の直前に執筆したエンゲルスの政治的遺言ともいえるものでした。エンゲルスは、それまでの「奇襲の時代、無自覚な大衆の先頭に立った自覚した少数者が遂行した革命の時代は過ぎ去った」と述べ、多数者による革命の必要性を提起します。その場合、「社会組織

の完全な改造ということになれば、大衆自身がそれに参加し、彼ら自身が、何が問題になっているか、なんのために彼らは＜肉体と生命をささげて＞行動するのかを、すでに理解していなければならない」「だが、大衆がなにをなすべきかを理解するため──そのためには、長いあいだの根気づよい仕事が必要である」と指摘しています（261頁）。

　エンゲルスは、1848年革命以後の1860年代から80年代にかけての階級闘争の歴史、そこにおけるドイツの労働者党を先頭とする普通選挙や議会闘争、多数者を結集させるたたかいの経験を総括し、それまでの少数者革命の時代から多数者革命の時代に転換したことをあきらかにしました。これからは、「社会組織の完全な改造」のために、民衆自身がその目的を理解し、「なにをなすべきかを理解する」ことが勝利のために必要であり、それを準備するために「長いあいだの根気づよい仕事が必要」と結論づけたのです。多数者の自覚的結集による多数者革命が科学的社会主義の革命論の根本的原則として位置づけられることになりました。マルクスとの共同作業の仕事をこのように歴史的に総括してあきらかにしたエンゲルスの果たした役割は極めて大きな意味を持っていたといえます。

エンゲルスの略歴

1820年11月28日	ドイツのバルメンで織物工場主の長男として生まれる。
1837年9月	エルバーフェルトのギムナジウムを中退し、父の商会で働く。
1838年7月	ブレーメンの商会に就職。『ヴッパータール便り』を執筆。
1841年9月	一年志願兵としてベルリンへ。ベルリン大学で聴講。青年ヘーゲル派に入る。シェリングを批判する。
1842年3月	『ライン新聞』に協力する。10月にバルメンに帰る。
11月	マンチェスターに赴任する途中にケルンでマルクスと会う。
12月	イギリスの労働者の状態や、チャーチスト運動を調査し、経済学の研究、社会主義の研究を行う。
1843年11月	『独仏年誌』のために「国民経済学批判大綱」を執筆。
1844年2月	『独仏年誌』刊行。マルクスと文通が始まる。
8月	イギリスからドイツに帰る途中に、パリでマルクスと再会し、理論上の一致を確認する。
1845年2月	マルクスとの共著『聖家族』を出版。
4月	マルクスのいるブリュッセルに移る。
5月	『イギリスにおける労働者階級の状態』を出版。
7月	マルクスと共にロンドンとマンチェスターを旅行し、調査・研究。
10月から	ブリュッセルで『ドイツ・イデオロギー』をマルクスと共同執筆。
1846年初め	マルクスと共にブリュッセルで共産主義通信委員会を設立。
1847年6月	共産主義者同盟（正義者同盟から名称を変更）第1回

	大会に参加。
11月	共産主義者同盟のために『共産主義の原理』を執筆。
12月	マルクスと共に『共産党宣言』執筆。
1848年2月	マルクスが『共産党宣言』を完成し、出版。
4月	マルクスと共にケルン移り、6月『新ライン新聞』を発行、革命運動に参加。
1849年5月	プロイセン政府の弾圧のため、『新ライン新聞』発行停止。
7月	バーデン・プファルツ軍、義勇軍に参加。その後、スイスへ。
11月	ロンドンに移る。
1850年3月	『新ライン新聞　政治経済評論』を11月まで出版。
8月	『ドイツ農民戦争』執筆。
11月	マンチェスターで、エルメン・アンド・エンゲルス商会に勤務。
1851年10月	「ドイツにおける革命と反革命」を『ニューヨーク・デイリー・トリビューン』にマルクスの名で1852年10月まで執筆。同紙にその後も評論を執筆する。
1851年〜69年	マンチェスターで紡績工場の経営を行い、マルクスに送金を続ける。
1867年9月	マルクス『資本論』第1巻出版。エンゲルスはその書評を執筆。
1869年7月	マンチェスターの商会を退職し、政治・社会活動、研究活動に専念。
1870年9月	ロンドンに移住し、マルクスの家の近くに住む。
10月	国際労働者協会、総評議会評議員に選出される。
1873年-80年	『自然の弁証法』の研究と執筆を行う。
1878年7月	『反デューリング論』を出版。
1880年8月	『空想から科学への社会主義の発展』（フランス語版）を出版。

1883年3月14日	マルクスが死去。3月17日のハイゲート墓地での葬儀でエンゲルスが弔辞を述べる。
1884年3月	マルクス『資本論』第1巻第三版をエンゲルスが出版。
10月	『家族、私有財産、国家の起源』を出版。
1885年7月	『資本論』第2巻をエンゲルスが編集して出版。
1888年5月	『フォイエルバッハ論』を出版。
1894年12月	マルクス『資本論』第3巻をエンゲルスが編集して出版。
1895年3月	マルクス『フランスにおける階級闘争』への「序文」を執筆。
1895年8月5日	ロンドンで死去。

（牧野広義　作成）

【編著者】
山田敬男（やまだ・たかお）　労働者教育協会会長
牧野広義（まきの・ひろよし）　阪南大学名誉教授

【著者】
岩佐　茂（いわさ・しげる）　一橋大学名誉教授
赤堀正成（あかほり・まさしげ）　神奈川労連特別幹事
　　　　　　　　　　　　　　専修大学社会科学研究所客員研究員
妹尾典彦（せのお・のりひこ）　関西勤労協事務局長
村本　敏（むらもと・さとし）　勤労者通信大学哲学教科委員
鰺坂　真（あじさか・まこと）　関西大学名誉教授

エンゲルスから学ぶ科学的社会主義

2020年12月10日　初版　　　　　　　　　　　定価はカバーに表示

編著者　　山田敬男　牧野広義

発行所　学習の友社
〒113-0034　文京区湯島2-4-4
電話　03（5842）5641　FAX　03（5842）5645
tomo@gakusyu.gr.jp
郵便振替　00100-6-179157
印刷所　光陽メディア

ISBN978-4-7617-0726-2 C0036